La Venus Lukumí

HERIBERTO FERAUDY ESPINO (Guantánamo, 1940). Escritor e investigador. Graduado de Administración Pública (1962) y de Licenciatura en Ciencias Políticas (1976), en la Universidad de La Habana. Ha impartido cursos, seminarios y conferencias en Cuba, África, México, República Dominicana y los Estados Unidos de América.

Pertenece a la Unión de Escritores y Artistas de Cuba (UNEAC); es asesor del Consejo Científico de la Casa de África en Cuba; es vicepresidente de la Asociación de Amistad Cuba-África, miembro de la Cátedra José Antonio Echeverría (Universidad de La Habana) y profesor de la Universidad de La Habana.

Sus obras se han publicado en Cuba, México, República Dominicana y Venezuela. Entre estas, se destacan las siguientes: *Yoruba. Un acercamiento a nuestras raíces* (ensayo), *Macua* (ensayo), *Irna* (testimonio), *Fabulosas fábulas* (cuento infantil), *Fábulas del Señor Tortuga* (cuento infantil), *De la africanía en Cuba, el Ifaísmo* (ensayo). Con su obra: *Yo vi la música. Vida y obra de Harold Gramatges*, obtuvo el premio Memorias en el concurso Biografía y Memorias (2008), que otorga la Editorial de Ciencias Sociales y el Instituto Cubano del Libro.

Se ha desempeñado como director de África y Medio Oriente, en el Instituto Cubano de Amistad con los Pueblos (ICAP); vicedirector de África Subsahariana, en el Ministerio de Relaciones Exteriores de Cuba (MINREX); embajador de la República de Cuba en la República de Zambia, así como en la República de Botsuana, en la República Federal de Nigeria, en la República Popular de Mozambique y en el Reino de Lesoto.

La Venus Lukumí

Heriberto Feraudy Espino

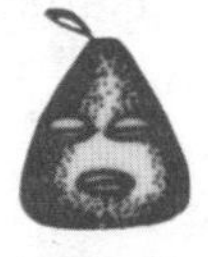

Colección
Echú Bi

EDITORIAL DE CIENCIAS SOCIALES, LA HABANA,
2010

Edición: Ana Molina González
Diseño de cubierta: Yadyra Rodríguez Gómez
Imágenes de cubierta: *Frente al espejo* y *El pez rojo*
de Eduardo Roca (*Choco*)
Dirección artística: Oneida Hernández Guerra
y Deguis Fernández Tejeda
Diseño interior: Xiomara Gálvez Rosabal
Corrección: Natacha Fajardo Álvarez
Emplane digitalizado: Bárbara A. Fernández Portal

Estimado lector, le estamos muy agradecidos si nos hace llegar su opinión, por escrito, acerca de este libro y de nuestras ediciones.

ISBN 978-959-06-1249-7

INSTITUTO CUBANO DEL LIBRO
Editorial de Ciencias Sociales
Calle 14 no. 4104, Playa,
Ciudad de La Habana, Cuba
editorialmil@cubarte.cult.cu

Índice

Introducción

Esas divinidades, están en nuestras casas,
en nuestros montes.
No os asustéis, también os acompañan.

PABLO ARMANDO FERNÁNDEZ

Todo comenzó cuando de regreso de Ilé Ifé, ciudad sagrada de los yorubas, me dirigía con mi esposa a visitar a Twin Seven and Seven, un artista nigeriano músico y pintor. Le llamaban Twin Seven and Seven por ser el séptimo gemelo de una familia. Luego supe que de los grupos étnicos africanos, los más propensos a engendrar mellizos son los yorubas.

Al llegar a su casa de dos plantas, construida con troncos y maderas, quedé completamente alucinado con lo que veía. El artista, envuelto en su indumentaria tradicional, nos presentaba a una de sus hijas y a cuatro esposas. Nunca habíamos visto algo semejante. ¡Cuatro esposas compartiendo la misma vivienda!

Íbamos caminando por un sendero desolado. Éramos cinco, como si el número quisiera reafirmar su credencial de identidad. Cinco habían sido las mujeres que acabábamos de conocer, cinco es el número de la deidad en Cuba.

Entre la amalgama de arquitecturas típicas de la región, típica de los pobres, y del mundo de los negros en Nigeria –el mayor de los pueblos negros del mundo–, de repente nos encontramos en el Templo de Oshún, construido en el siglo XVIII al lado de un río manso, quieto, con sus aguas dulces y tranquilas, como dicen que fue su reina en su pasión y amor por Shangó.

Mientras avanzábamos, Twin Seven and Seven nos fue relatando uno de los mitos que narra el origen del río Oshún, relacionado con la oreja que un día se cortó Oba, una de las mujeres de Shangó. Nos mostró unos árboles donde, según él, viven las aves que cuidan el lugar, las que van y vuelven, pero nunca abandonan su tronco.

En el templo se observaban también distintas figuras de cemento que representan a orishas o deidades yorubas, erigidas para satisfacer las súplicas y deseos de los seguidores del gran dios Olodumare.

Mi esposa, entusiasmada, se introdujo en aquellas aguas mansas, claras y tibias, y se sentó sobre una roca. Apenas se había posesionado sobre la piedra cuando de repente un pez saltó sobre sus manos. Twin Seven and Seven exclamó: "¡Matrimonio, será un buen año!", y de inmediato llamó a su hija ordenándole que mojara sus pies en el agua y orara por encontrar a un buen hombre que le diera hijos, pero con la observación de que todo ello debía ser para el próximo año. La hija de muy mala gana lo obedeció.

Un joven que se encontraba cerca dirigiéndose a otro que nos acompañaba le dijo: "Tú, que quieres tener mujer métete en el río y reza". Parecería

como si los poderes de Oshún se impusieran de inmediato. La hija de Twin y el joven necesitado de mujer iniciaron una amorosa conversación, antes no sostenida, y parecía que el misterio del río Oshún se hacía realidad. Aquella pareja que se había mantenido indiferente durante el recorrido, al finalizar este parecían dos tortolitos. Tiempo después supimos que se habían casado.

De regreso a Lagos, me interesé por conocer más acerca de esta deidad tan popular en Cuba y a quien católicamente se le identifica con la Virgen de la Caridad del Cobre. Fueron tantas las historias que escuché sobre esta diosa, que decidí escribir algunos apuntes sobre la misma, los cuales fueron publicados en el año 2002 en una edición artesanal a cargo del Centro Cultural Afrocubano de Occidente de México, bajo el título de *La venus lukumí.*[1]

No sé si fue el azar, el destino o tal vez la propia Oshún quien quince años después de mi estancia en Nigeria, me llevó de nuevo a la cuna de los orishas. Nunca habría imaginado la posibilidad de este regreso a Nigeria. No obstante los obstáculos surgidos, me impuse el propósito de visitar Oshogbo, no podía ser de otra forma.

Acompañado por un sacerdote cristiano viajé de Abuja a Lagos, la antigua capital nigeriana. Los recuerdos me acechaban. Visitamos un centro de recreo yoruba donde varios miembros del Club compartían alrededor de una mesa. Mi

[1] El presente libro no es la edición mexicana a la cual alude el autor, sino el resultado de un estudio más profundo realizado con posterioridad. (*N. de la E.*).

acompañante me presentó como ex embajador y el saludo fue cortés, pero cuando agregó que el visitante ostentaba el título de Chief,[2] la reacción fue distinta, de extrañeza: "¿Chief?". "Sí, Osi Olokun Ijio de Ifé" –les dije–, entonces la recepción se hizo más acogedora.

Al día siguiente emprendimos el viaje por carretera directo a Oshogbo. Al pasar por Ilé Ifé un tumulto de ideas vinieron a mi mente. Volver a Nigeria cinco lustros después, constituía un acontecimiento imperecedero en el compromiso y en el bregar por los caminos de *mis raíces, y las raíces de mis raíces*, de contribuir –a través de la investigación y la escritura– con el rescate y conservación de la memoria histórica, y de esa forma acercarnos más a lo que somos, de dónde vinimos y adónde vamos.

Por fin llegamos al Museo de Oshogbo, allí estaba la Ermita con su ancho portón y su arboleda figurando imágenes, el Templo, el río. Penetré en sus aguas y me senté en la piedra, la misma piedra donde sentada un día mi mujer, a través de un pez recibió el saludo de Oshún, la diosa de los cubanos. Fue un rencuentro feliz con la historia, de la cual aún queda mucho por indagar y por escribir, teniendo siempre presente el viejo proverbio yoruba de que *El agradecimiento es la memoria del corazón.*

[2] Máximo título tradicional otorgado por el rey de los yorubas.

Virgen de la Caridad del Cobre

Voy a contarles de todo lo oído, leído y visto, de lo que dicen, que se corrió por allá por las tierras del Oriente cubano.

Narran que un día triste, muy triste, el mar se enfureció y desde su vientre estalló una tormenta con más tentáculos que un pulpo de mil demonios. Cuentan los que supieron, que desde sus brazos lanzó una canoa que por las aguas de la Bahía de Nipe navegaba.

Dicen que como un hongo, de aquella barca emergieron tres hombres que por allí pescaban. Unos dicen que eran Tres Juanes: Juan Diego, Juan Hoyo y Juan Moreno. Para otros eran Juan Odio, Juan Indio y Juan Esclavo. Hay quien los llamó Juan Criollo, Juan Indio y Juan Moreno. De lo que nadie duda es de que se trataba de tres hombres y también se afirma que eran dos indios, uno llamado Rodrigo y su hermano Juan Joyos, y un negrito esclavo nombrado Juan Moreno.

Ocurrió que los tres, viéndose atormentados entre rayos y centellas, se pusieron a rezar y vieron un bulto blanco y pensaron que era un ave, pero resultó ser la imagen de una mujer de pelo negro, largo y sedoso. Cuentan que era pequeña y de un color confuso, moreno o cobrizo, y que era bella, como una diosa, vestida toda de amarillo y con una corona de oro en la cabeza. Era la Virgen María. Todo ocurrió en un instante.

También dicen que la Virgen, después de salvar a los que luego nombraron *Tres Juanes*, esta oración les dejó:

> Sabed mis queridos hijos que yo soy la Reina y la Madre de Dios Todo Poderoso; y los que creen en mi gran poder y sean devotos míos, siempre conservarán mi estampa en una reliquia para que le acompañe y con esta estarán libres de toda cosa mala, estarán libres de toda muerte repentina (...) no podrá morderle ningún perro con rabia, ni ninguna clase de animales malos (...) estarán libres de accidentes y aunque una mujer esté sola no tendrá miedo a nadie porque nunca verá visiones de ningún muerto, ni cosas malas diciendo esto: La Caridad me acompañe y su hijo (...) con los Santos Evangelios y la cruz en que murió. Amén Jesús.

Y se rumora que después de esto la Virgen le dijo a Juan Esclavo:

> Juan, aquí dejo esta oración para cuando una mujer esté de parto y se encuentre afligida por los dolores tan fuertes que se sienten en su corazón y que esas horas tan tristes y tan amargas y que un mal parto trae malos resul-

tados, hasta perder la vida, que ponga esta oración sobre el vientre haciendo la señal de la cruz en memoria de los siete dolores que yo tuve tan fuertes, y que desde los altos del cielo alcanzará la bendición de Dios y la criatura mientras se reza un credo al gran poder de Dios y un salve a la Santísima Virgen de la Caridad parirá su hijo sin peligro. Amén Jesús.

Entre las historias acerca de la Virgen de la Caridad se ha llegado a decir que la aparición de la misma fue profetizada, nada menos que en el Antiguo Testamento. Otros han dicho que apareció antes de ser católica en época prehispánica.

Acerca del surgimiento o aparición de la imagen de esta virgen existen múltiples y variadas versiones. Una tradición la atribuye a un cacique o reyezuelo que la tenía en la iglesia de Santiago de Cuba y ante el temor a ser despojado de ella por otros caciques rivales decidió tirarla al mar. Se afirma también que fue una imagen traída a la Isla un por un tal Ojeda u Hojeda y que estaba pintada sobre una tabla de Flandes. Otra versión señala que se trataba de una imagen de papel con la que un marino trataba de convertir a un cacique. Muy mencionada es la que se refiere a una virgen aparecida venida de un lugar llamado Illescas en España, pero esto lo desmintió con pruebas convincentes el insigne investigador cubano Fernando Ortiz.

De los mitos sobre su aparición en Cuba se ha afirmado que esto ocurrió por el 1601 y que los habitantes de la región donde apareció le pusieron por nombre *Virgen de la Caridad del Cobre*, hay quienes dicen que fue en 1607, otros que en 1608 o en el 1613. También señalan el 1620, pero al parecer la fecha más aceptada es la de 1628, aunque también sujeta a impugnaciones.

Don Fernando, refiriéndose a los orígenes de esta virgen, apunta:

> La Virgen de la Caridad o Santa María de la Caridad, como solía decirse en los siglos en que no habíase difundido tanto el dogma y la devoción de la virginidad mariana, se encuentra por primera vez en España, en el siglo XII, precisamente el año 1149, en el monasterio de Santa María de la Caridad, en Tulebras, frente a Cascante en Navarra, cerca de la raya de Aragón.[1]

Y también señala el investigador cubano lo siguiente: "La Virgen del Cobre, como material de representación icónica de la católica Madre de Dios, puede ser de factura cubana, *improbable*; *española*, probable; o germana, *posible*". Y a continuación agrega el maestro: "carecemos de elementos para una opinión asegurada en este particular". En otro apartado añade: "El elemento material nos parece menos interesante; más significativos e importantes son los factores espirituales".[2]

Haya sido de madera o de papel, propiedad de un fraile español o de un cacique aborigen, traída de otras tierras o no, lo cierto es que la Virgen de la Caridad del Cobre es cubana criolla y reyoya.

[1] Fernando Ortiz: *La Virgen de la Caridad del Cobre. Historia y etnografía*, p. 146.

[2] Ibídem, pp. 101 y 102.

Y son, precisamente, los factores espirituales de los que hablaba Ortiz los que han llevado al cubano a asumirla como la patrona de Cuba, y a considerarla en su momento como la Virgen mambisa.

Se dice que protegía a los cubanos en su guerra contra los españoles y que Carlos Manuel de Céspedes, al entrar en Bayamo con las fuerzas liberadoras, hizo decir una solemne misa en su honor. Otro relato cuenta que al producirse la toma del poblado de El Cobre por los mambises, quiso el Padre de la Patria visitar aquel lugar. Al entrar en la población donde lo esperaron con todos los honores "preguntó si se tenía preparado algo en la Iglesia; le dijeron que no, y al desembocar en la plaza y ver el templo, se adelantó, solo, dirigiéndose a la puerta principal, en la que estaba el cura con su traje talar de diario, y ambos penetraron en la Santa Casa, y ante el altar de la Virgen de la Caridad, de gran veneración en toda la isla, oraron de rodillas".[3]

Existe información según la cual Céspedes llevaba en su cuello como regalo de su mujer, y así lo escribió en su diario, una estampa de la Virgen de la Caridad.

Del general Antonio Maceo, también se afirma que siempre llevaba prendida en su ropa interior una medallita de la Virgen de los cubanos y que cuando lo bautizaron en la Iglesia de Santo Tomás, en Santiago de Cuba, le pusieron por nombre Antonio de la Caridad, tal vez debido

[3] Juan Luis Martín: "Historia de la Virgen de la Caridad, Santa María de Cuba o la Virgen Mambisa", en revista *CATAURO*, no. 15, p. 159.

a la devoción de Mariana Grajales, su madre, por esta virgen.

También es sabido que en otros tiempos era muy común poner el nombre de Caridad a muchas personas. A nuestra *prima ballerina* del Ballet Nacional le pusieron por nombre Alicia Ernestina de la Caridad del Cobre.

En la Guerra del 95 existió una copla popular que dice así:

Dicen que Pancho Valeria
es un diario americano
por eso los cubanos
no pueden plantar bandera.
Ay Dios ¡Gran Dios!
Es menester que no hubiera
en El Cobre la Caridad
que allí esa señora está
pidiendo por los cubanos
con la bandera en la mano
que viva la libertad.
Ay Dios ¡Gran Dios![4]

El 1916, por solicitud de los veteranos de la Guerra de Independencia, el Papa Benedicto XV proclamó a la Virgen de la Caridad del Cobre como Patrona de Cuba, y el 25 de enero de 1998 su Santidad Juan Pablo II, la coronó oficialmente como la Reina de Cuba.

En su santuario pueden observarse múltiples y diversas ofrendas, producto de las promesas que se le hacen. Desde grados militares, correspondientes a altos oficiales de las Fuerzas Armadas y soldados que han combatido en diversos países africanos y del tercer mundo, hasta la

[4] Fernando Ortiz: Ob. cit., p. 523.

medalla que recibió Hemingway cuando obtuvo el Premio Nobel de Literatura.

Allí está ella, con su vestido dorado confeccionado en oro que tiene al frente de su bata el escudo nacional bordado en colores, en su cabeza una corona y una aureola, ambas de oro de 18 quilates, y engalanadas con 1 450 brillantes de esmeraldas y rubíes. La cruz que lleva en la mano derecha es de brillantes y amatistas, mientras que la corona del Niño Jesús es de oro, plata y brillantes.

Acerca de los exvotos expuestos en el santuario y las ofrendas que allí se realizan una investigadora relata:

> El padre que allí oficia, nos contó la dificultad que se le presentó cuando una santera llevó a la Virgen un cake; ante la imposibilidad de hacerle comprender que esta es una ofrenda inapropiada para la divinidad católica, debió aceptar que la depositara *a los pies de la virgen* pues decía que era su promesa (...). Algo similar sucedió en la parroquia de San Agustín, donde un hombre negro –¿santero?– despertó al padre entrada la noche porque *necesitaba* ver a la Virgen de la Caridad –la representación conservada en El Cobre durante los meses previos a la visita de Juan Pablo II a la Isla, peregrinó por todas las parroquias del país– y, una vez frente a esta, encendió su tabaco e hizo correr el humo sobre la Patrona de Cuba en la cual probablemente estaría viendo a Ochún, esa orisha tan africana como cubana.[5]

[5] María Ileana Faguagua Iglesias: "La Iglesia Católica Romana y la Santería Cubana: relaciones de poder y autoridad", en revista *CATAURO*, no. 15, p. 56.

La misma autora de este artículo señala:

> Un teniente coronel de las Fuerzas Armadas Revolucionarias (FAR) que encontramos en el Santuario del Cobre llevando el ramo de flores usado por la que acababa de convertirse en su esposa, para dejarlo *a los pies de la Virgen*, dijo que no encontraba contradicción en ese acto con su condición de ateo y que fue un reclamo de novia, mamá y suegra; para colmo añadió: "Fue por solicitud de los veteranos luchadores contra el gobierno colonial al Papa que la Virgen se convirtió en Patrona de los cubanos". No hay duda, el joven oficial conoce la historia (...), se la apropia y la aplica.[6]

Todos los 8 de septiembre, y antes y después de esta fecha, son miles los cubanos que van al Cobre. La festividad por su celebración antiguamente tenía lugar en todo el país, y se destacaban en especial las que se desarrollaban en Santiago de Cuba y en la antigua provincia de Santa Clara. Eran fiestas que duraban ocho días y más.

Lydia Cabrera, la más destacada investigadora cubana de los asuntos relacionados con las religiones de origen africano en nuestro país, en su fabulosa obra *Yemayá y Ochún* señala cómo el francés Hippolyte Piron le describe la fiesta del Cobre:

> Comienza con una solemne procesión que aguarda la multitud aglomerada en la ermita y sus alrededores. En ella desfilan señores santiagueros vestidos con levita negra y pantalo-

[6] Ibídem.

nes blancos y llevan con unción cirios encendidos. Piron, que contempla desde lo alto la escena, escribe refiriéndose a la muchedumbre que al paso de Nuestra Señora se pone de rodillas: "Los trajes, en los que predomina el blanco forman un tapiz salpicado de flores; todas las cabezas inclinadas ofrecen el espectáculo de una piedad conmovedora y solemne. Los más insensibles se emocionan. La música militar hace oír aires tristes que contribuyen a que la emoción sea general. Descienden la montaña con la Virgen, la pasean por la ciudad en medio de la multitud devotamente puesta de hinojos y regresan al santuario. Las fiestas duran quince días en un exceso de alegría y de locura. Los días comienzan con paseos a caballo, continúan con largos almuerzos y numerosas libaciones, juegos, y terminan con bailes y todo género de diversiones. De noche la ciudad adquiere un aspecto mágico. En las calles principales se alinean mesas alumbradas por velas bajo fanales o fijadas por la cera a las mismas mesas. Se venden golosinas calientes y refrescos. Detrás de estos mostradores llenos de tentaciones, los españoles fríen en grandes sartenes, buñuelos, empanadillas, escabeches, etc., y los criollos chicharrones y pastelitos que se venden con éxito. El juego se insta en un gran número de casas y se exhibe descaradamente en plena calle; por donde quiera se ven mesas con ruletas y la fiebre de jugar, de ganar, es tal, que se apodera hasta de los más indiferentes, que ese día arriesgan una moneda de oro apuntando al rojo y al negro.

Las fisonomías de los jugadores se tornan extrañamente siniestras a las luces que proyectan las bujías y las llamas de los fogones. Los niños, saltando de alegría por encima de las llamas, mezclan sus risas a los juramentos y maldiciones que lanzan los jugadores que no tienen suerte. Un cuadro digno del pincel de Rembrandt. Los bailes envían a lo lejos el incentivo encantador de sus músicas. Los hay en todas partes, bailes de blancos, bailes de mulatos, bailes de negros.

El quinto día el Gobernador de Santiago honra las fiestas con su presencia. Con gran pompa su colega del Cobre viene a su encuentro y lo cumplimenta. Recibe diputaciones de blancos, de mulatos y de negros y acoge sus felicitaciones con aire aburrido. A partir de ese día parece que un nuevo impulso se comunica a las pasiones ardientes; se divierten con ímpetu, no se duerme, pues se le robarían minutos al placer.

Recorro los bailes con ávida curiosidad. Los de los blancos, el baile de la Filarmónica que es el más animado. Allí el Gobernador hace una corta aparición. Con los mulatos uno se abandona al placer de la danza, se entrega a ella con frenesí. Los de los negros se celebran en las casas y al aire libre en los patios. Las mulatas jóvenes se hacen notar por su tipo exótico y por una gracia llena de coquetería que es solo de ellas. El traje de las negras es de una tela ligera –el traje de las grandes ocasiones– con un chal en los hombros un poco al desgaire y atado en el seno, en la cabeza un pañuelo de Madrás. Algunas calzaban za-

patos sin medias, pero muchas llevaban los pies desnudos.

La orquesta de los blancos era imperfecta pero completa, la de los mulatos se componía de un violín y de una flauta; la de los negros se reducía a los tambores que golpeaban con furia acompañando canciones cubanas y españolas. Poco a poco me ganó el entusiasmo general y a pesar mío comencé a cantar. Gritos, canciones, petardos, músicas con repiqueteo de castañuelas, zumbidos monótonos de tambores, exclamaciones de alegría y de dolor, todo ese tumulto, toda esa agitación, tantos ruidos confusos y diversos me aturdían y me seducían a la vez con el extraño encanto de su sabor local. Sentí que me subía a la cabeza algo semejante a la embriaguez deliciosa de un vino generoso".[7]

En otra parte de esta interesante obra, y refiriéndose a las celebraciones con motivo del 8 de septiembre, se narra lo siguiente:

En Santa Clara, en la derruida iglesia del Buen Viaje –de los Pilongos–, los negros, que decían que aquel templo les pertenecía, celebraban en grande la fiesta de la Caridad del Cobre. Venían de todos los ingenios de la jurisdicción, y en el "placer" o terreno baldío que rodeaba la iglesia, la víspera del ocho de septiembre, de maña, al son de los tambores hacían "la chapea", cortaban las hierbas, que recogían las negras, en canastas pequeñas, bailando y bebiendo aguardiente. Por la tarde,

[7] Lydia Cabrera: *Yemayá y Ochún*, pp. 58-60.

en una procesión, desfilaban el Rey y la Reyna del Cabildo de los Congos (que predominaban allí) bajo un enorme parasol de cuatro metros de diámetros que llamaban "el tapasolón" y tras ellos, bajo otro "tapasolón", los que se decían príncipes. Los seguía el numeroso séquito de sus acompañantes o vasallos. Todos los hombres vestían levita y pantalón y lucían bombines, al cinto un sable de juguete y calzado de cuero de vaqueta. Presidían el cortejo, delante del gran parasol, los tambores, rústicos troncos de madera de metro y medio de largo. Cuatro o cinco tambores con sonidos distintos, que se llevaban entre las piernas amarrados a una cuerda que pasaban por el cuello.

El cabildo tenía su casa en un terreno propio junto a la iglesia, que los P. P. Pasionistas adquirieron más tarde en los comienzos de la República, cuando todavía en aquella fecha continuaban celebrándose esas fiestas, y era tradicional el baile que tenía lugar en el Cabildo. Bailaban allí los negros una especie de Lanceros; colocados en dos filas, frente a frente, los hombres separados de las mujeres, ejecutaban figuras y se movían al compás de los tambores. Avanzaban unos y otros siguiendo el ritmo, y al encontrarse sonaban las palmas y retrocedían. Estaba terminantemente prohibido tocar rumba. Cuando los criollos en la procesión de los congos, insinuaban un toque de rumba –esa era música profana– la indignación de los viejos se hacía sentir. Era típico en las festividades villaclareñas de la Virgen de la Caridad, repartir entre los con-

currentes negros que asistían con sus Reyes, y los devotos blancos –todos en la mejor armonía– el Agualoja, una bebida compuesta con agua, albahaca y maíz quemado, que como la frucanga o zambumbia y otras, pertenecen al pasado.

Para asistir a la misa, los negros muchas veces vestían enteramente de blanco y llevaban siempre –¡ya proclamada la República y en plena euforia de Cuba Libre!– una bandera española. Este detalle que me relató un testigo de vista villaclareño, el señor Luis A. Muriedas, no es de asombrar, en cambio lo era, no hallar en los negros viejos el odio ciego, irreflexivo, a España, que era corriente en la mayoría de los cubanos blancos, hijos o nietos de españoles.[8]

Al margen de la historicidad o el cientificismo, en el imaginario, que es otra historia y otra realidad, la Virgen de la Caridad de origen español es tan cubana como lo es Oshún de origen africano. Ambas son una misma aunque tengan orígenes, representaciones y formas de adoraciones distintas.

Son conocidas personas adoradoras de Oshún que la tienen asentada en su cabeza, es decir, que se han consagrado y al referirse a ellas exclaman: "Yo soy hija de la mismísima Santísima Caridad todo el tiempo".

Virgen de la Caridad hay muchas en el mundo, pero cubana, una sola, no importa su color. A propósito del color, casi nadie se ha querido

[8] Ibídem, p. 57.

resignar a la idea de las vírgenes negras atendiendo a sus raíces.

La historiografía recoge la existencia de múltiples vírgenes negras en el mundo, pero para casi todos los hagiógrafos es blanca. Unos le atribuyen el color negro a la madera en que han sido talladas, otros al color de la pintura, otros como los obispos cubanos llegaron a considerar a la Virgen de la Caridad morena porque el sol la había tostado. No ha faltado quien ha llegado a afirmar que es morena por el humo propiciado por un fuego.

Fernando Ortiz, quien se vale de la obra del francés Berenguer Feraud en sus estudios sobre la Virgen de la Caridad, señala:

> Véase lo que ha recogido y observado Berenguer Feraud, respecto a las vírgenes atezadas:
>
> > Si quisiéramos dar cuenta de todas las leyendas que están en boga, para explicar el color negro de las vírgenes que nos ocupan, tendríamos que escribir numerosas páginas y contar aventuras bien extraordinarias. Aquí la imagen de la virgen se ha vuelto negra porque un impío incendió la iglesia en la cual aquella se encontraba, y las llamas se contentaron con ennegrecer su rostro, para hacer más evidente el respeto que impone su santidad.[9]

La manifestación de racismo ha sido tan exasperada en este sentido, que se ha llegado a afirmar que es negra por un disgusto.

[9] Fernando Ortiz: Ob. cit., p. 246.

El mencionado Berenguer Feraud cita otro relato según el cual: "La Santa Virgen, que primitivamente era de una blancura inmaculada, fue poco a poco ennegreciéndose por el disgusto que le producía la depravación siempre creciente de la población, los crímenes y la impiedad de los protestantes, judíos, mahometanos, según el caso".[10]

Según el maestro Fernando Ortiz, negra o mulata, morena o parda, hoy predomina en Cuba la creencia de que el color trigueño de la efigie cobrera es debido a su *sangre* africana.

Para concluir Feraud le hecha más picante al asunto al apuntar: "Para enumerar todas las proposiciones formadas respecto a este asunto del color, digamos que aun se ha llegado a decir, algunas veces, para explicar el favor que gozan las vírgenes negras entre los fieles, que era en realidad el color de la piel de la Virgen María que, como Eva, fue una negra".[11]

La Virgen de la Caridad en el imaginario de un negro africano[12]

Yo vine pa contá, pa decí cosa que naide dice, poque gente habla bobería, gente habla y habla y dice cosa sin sabé. Si uté no sabé, callá boca. Tata decí que mejó que hablá e oí. Hombre solo tiene una lengua pero do soreja.

[10] Ibídem.

[11] Ibídem.

[12] La narración que sigue no constituye ningún testimonio, es resultado de la imaginación del autor del presente libro. (*N. de la E.*).

Gente ta hablá mucha mentira, que si branco, que si negro, que si indio, hum, ¡cómo gente hablá!

Allí namá taba yo y do indito ranchero. Así mimito como le cuento. Un indito llamao Rodrigo y otro llamao Juan Joyos y eran hermanos que quedaron con boca abieta como cocodrilo cuando ta burrío. Yo no, a mí me quiso salí lo sojo de lo hueco cuando vi aquella cosa y agua me quiso tragá.

¿Qué cómo yo me llama? Yo me llama Juan Moreno si señó. Naturá de aquí deta mimita mina de Santiago de Prado. Negro sé eclavo y capitán de milicia de Real de Minas, con ochenta cinco año en lo pellejo. Así como se lo cuento cará. Y casao y tó, cómo no.

Yo tené mi palda María de lo Reye y gente me repetá, como no me va repetá ensabiendo que yo soy hombre de bien. Y yo tá decí que yo fui negro cimarrón ¡cará!, así como uté oye, yo me empalanqué, en esa mimita Sierra Maetra que uté ve.

¿Qué cómo fue eso de la Vrigen?, pue mire uté señó cura cuando eso pasó yo ná má tené die saño; pero yo tené ese asunto má clarito que cuando candí alumbra barraca. Sí cará como no me va acoldá.

Salimo de Barajagua un día y una hora que negro no ta acoldá poque negro tené mala memoria y cabeza enmarañá po tanto tiempo. Salimo lo tre de lo hato en procura de sal y con rumbo Bahía de Nipe. Resultó que ranchamos en cayo francé que está en medio de dicha Bahía de Nipe pa con buen tiempo salí con canoa, pero tiempo se puso feo, ma feo que mimito diablo. ¡Hum!, nosotro tuvimo que eperá tre día con

tre noche porque viento y mar taban bravo, bravo. Era de mañá y lo mar etaba en calma, cuando salimo de dicho cayo francé ante que saliera sol, los do hermano y ete declarante, embarcao en una canoa para la dicha salina.

Habíamo navegao un poco, cuando de pronto vimo una cosa branca sobre epuma de agua. ¡Imagínese uté! Aquello parecía un pájaro. Indio dijeron que era una niña y tabamo dicursiando cuando así de pronto vimo la mimitica imagen de nuetra señora de la Vrigen Santísima con un Niño Jesú en lo brazo. Vrigen taba sobre una tablita chiquita y en dicha tablita una letra grande que leyó Indio Rodrigo que sabía leé. Letra decía según contó indio: "Yo soy la Vrigen de la Caridad". ¡Imagínese uté!, y la pura Vrigen tenía ropa y ropa no taba mojá. Toitico quedamo paralizao y no tuvimo tiempo ná má que pá cojé tre tercio de sal de tanto tembleque, tembleque que tuvimo y lo tre fuimo volando pa el Jatto de Barajagua donde taba Mayorá Miguel Galan y contamo toitico lo que pasó y vimo.

Mayorá puso contento contentón y rápido envió a Antonio Angola con noticia de dicha señora pa capitán Don Francisco Sánchez de Moya que alminitraba mina y pa que ete dijera qué había que hacé. Dícese que Capitán también púsose contento contentón.

Mientra perábamo noticia de capitán nosotro pusimo Vrigen de la Caridá en balbacoa y hicimo altar de tabla donde pusimo santísima señora con mucha lu encendía. To mundo taba alborotao, alborotao.

Señó Don Francico mandó orden pa Mayorá diciendo que viese una casa en dicho hato y que allí pusiese imagen de nuetra señora de la

Caridá, y que siempre tuviese con lu. Y pa ello le envió una lámpara de cobre. Y entonce hubo que contruí casa pa la aparecida cubierta de guano y con tabla de palma y pueta en su altar, eta divina señora, el susodicho indio Rodrigo taba encargao de ensendé lámpara.

¿Pero uté no sabe lo que pasó señó Vicario? Resulta que cuando de noche dicho indio Rodrigo fué a encendé lámpara, señora no taba allí, entonce indio se puso a dar voce pal mayorá y demá gente que serían hasta veinte y una de las persona que taban en dicho hato de Barajagua, les decía que la Vrigen santísima no taba en su altá y por mucha diligencia que hicimo no encontramo ni má minimo ratro de Vrigen.

¡Que cosa má grande! Y nosotro buca y requetebuca y ná. ¿Pero a lo que uté no sabe lo que pasó señó Jué? Pue ná, que a otro día por la mañá, iendo derechito a su casa encontramo Vrigen en altá con vestío mojao. ¡Que cosa! Y esto se vió por do vese, de cuyo milagro mayorá Miguel Galan dió aviso a capitán Don Francisco el que luego que tuvo noticia dipuso que se viniese al Jato el padre Bonilla religioso de San Francisco de cuyo nombre no me acordá y de quien solo sé y me acuerdo taba alminitrando el curato dete lugá de las Minas del Cobre.

Y vinieron toa la Infantería del Real deta mina y mucha gente de su población pa llevá a Vrigen santísima como isimo en una anda emprosesión y la pusimo en la mimita Iglesia parroquiá dete lugá hata que se contruyera elmita.

Pa decí veldá, tó lo negro adoró Vrigen en altá de capilla de hopitá que taba junto de lo 114 bojío donde vivan negro eclavo y soldao branco.

Pero Vrigen no se quedó allí en hopitá ¡que va! Gente quería mucho má pa ella y gente se encomedó al mimísimo espíritu santo y gente buena hicieron fieta de misa cantá y selmón pa contruí elmita pa la divina señora.

¡Hum!, entonce yo va contá que pasó poque como yo decí gente enrreda lengua y cabeza y troca memoria y entonce inventa que si frito fue y que si mal se cocinó. Sí señó poque hay gente por ahí que anda dándole baile a la lengua y gente que le guta bailá, bailá, bailá y que te bailá y luego se marea y no sabe ná. Por ahí gente anda contando mucho cuento. ¿Uté no ta sabé lo que cuentan de la niña Apolonia? Lo que dicen que la niña vio y no vio? Bueno pue si uté no sabé, yo va contá pa que naide se lo cuente.

La gente lengua lalga dete lugá ta decí lo que dicen dijo niña Apolonia. Gente ta decí que niña Apolonia era hija de una trabajadora deta mina que cargaban minerá en batea dede la vetas hata la fundición y que yendo a vé a su madre se le apareció mimita Vrigen sobre una peña y que mimita Vrigen preguntó a niña dónde ella quería casa pa viví.

Gente ta decí que la niña mulatica indicó donde quería Vrigen contruyera templo pa ella y que Vrigen taba vetía con saya azú, jubón y vaqueta de raso azú, con su pasamano de oro y manto azú de tafetán. To eto dice gente.

¿Qué si son veldá? ¡Ah yo no sé! Negro sí sabé lo que va contá y lo que yo va decí naide me lo contó, que yo lo ví y como yo lo ví yo va contá.

La velda e que to lo eclavo realengo y gente de la medianía quería contruí elmita pa que divina señora tuviera su casa y to el mundo se puso pa coperá.

Resulta que una noche en una loma que llaman la Cantera se vieron tre luce arriba de cerro de la mina en derecho de la Fuente, pero lo má grande no fue eso no señó, lo má grande e que esa mimitica tre luce se volvieron a vé tre noche seguía. Aquello fue lo má grande y entonce to el mundo dijo que allí mimito había que hacé la elmita pa la Vrigen, que hoy etá en eso cerro haciendo mucho milagro con eso devoto que la llaman y mucho frecuentan eta santa casa viniendo a novena de la mimitica ciudá de Cuba que dita cinco legua poco má o meno, y de la Villa de San Salvador del Bayamo que dita má de treinta legua de ete lugá.

¿Que qué milagro hizo esta santa Vrigen? A lo mejó uté no va a creé pero ahí ta gente que vienen de to lo lao. ¡Hum!, cuando zapato aprieta to mundo ta corré. Negro no ta entendé como si zapato aprieta gente ta corré, pero negro si sabé que gente corre poque candela viene y cuando candela viene to mundo julle así mimito cará, todo mundo julle.

Mire señó cura, gente a vece no creé en lo santo, ni queré sabé de santo pa ná y dicen que esa son cosa de bobería, cosa de negro y de brujería, pero cuando agua llegá a pecueso entonce gente gritá.

Ahí tá lo milagro que Vrigen hizo pa hermano Mathia cuando iba de cabeza pal hueco de la mina y agarrose de mata de maguey. Si no e pol Vrigen elmitaño no hubiera hecho cuento.

Mire señó jué, si yo me pongo hacé lo cuento de lo milagro que hizo la Vrigen, entonce no tené pa cuando acabá.

Y son mucha la cosa que yo podé contá de eta Vrigen Santísima Señora de Nuestra Caridá y

Remedio, que así e como la llama gente en toa sus necesidá, y en su santísimo rosario que le resan toa las tardes a coro en su santa casa, le invocan Vrigen Santísima María Madre de Dios y Señora de la Caridá y Remedios.

Yo tá contá toeto a la autoridá poque negro queré que se haga juticia con tó lo que aconteció aquel día del 1613 en la jagua de lo Bahía de Nipe.

Yo no sé si negro que tá contá esa hitoria fue negro de Angola o negro Mondongo, yo si sé que yo tá oído esa hitoria.

Yo soy negro lukumí. Negro fueron muy maltratao. Pa lo branco negro no era persona, negro congo, yoruba, negro arará, makuá, carabalí, negro ibo, mandinga. Negro africano, era cosa, negro no son gente pa lo branco, negro son cosas y na má. Mi papá contó que cuando branco llegó a África, branco acabó con tó, ata con pájaro loko ko. Cuasi toitico lo negro fueron preso y amarrao y llevaron a barco grande, donde negro moría de sufrimiento y si enfermaba o había mucho lepe, lepe lo tiraban vivo al mar.

Cuando negro llegó, y dicen que negro llegó ante que branco que llamaban Colón, negro no pudo trae ná, ¡hum! Pero negro trajo orisha, que son los mismitico dueños de toitico lo camino y de todas las cosas. Y quien no tiene camino ta perdío mijito, ta sin rumbo. *Ale ti ko ti oju eni le, a ki imo okunkun re irin.* (Uno solo puede caminá fácilmente por un camino oscuro cuando lo ha visto en la claridá) y pa esa claridá hace falta orisha. ¡Sí carajo!

Orisha eran los mismitico dioses de lo negro africano que eran yorubas, y entre esos dioses negro trajo a Oshún la diosa del río Oshogbo y de to lo maravilloso.

Entonce lo cura iba al barracón y lo negro iba a la Iglesia. Negro comenzó a conocé a lo santo. Pero negro tenía econdío su Orisha en lo barracón, en lo monte, en el alma ¡Quién diablo sabe!; pero negro quería mucho a su diose, entonces vinieron la fieta, lo cabildo, que branco creó pa entretené a negro y salieron las comparsas y las congas y las procesiones y negro tuvo que econdé a sus orishas obligao y entonce puso a lo santo de lo branco y así fue surgiendo eso que ahora llaman sincretismo y lo branco también quiso a lo santo de lo negro, a lo orisha, y se formó el enredo y la mezcla y así tamo to meclao, mijito, toitico meclao.

Cuando yo, inocente niño,
En el regazo materno
Era objeto del más tierno
Y solícito cariño;
Cuando una mano de armiño
Me acarició en esa edad,
Mi madre con la ansiedad
Más grata y más fervorosa,
Me habló de la milagrosa
Virgen de la Caridad

Bella imagen de mi culto
Allí, lejos del tumulto
Que forma la población
Oye esa imagen el son
De mil cánticos cristianos
Y es de todos los cubanos
Objeto de adoración.

Juan Cristobal Nápoles, *El Cucalambé*

De los milagros de la Virgen

De los motivos y supuestos milagros que inducen a la adoración de esta virgen, Lydia Cabrera en su libro ya mencionado señala lo siguiente:

> Mas sería demasiado larga la enumeración de sus pequeños y grandes milagros. Si nos remontamos al pasado, en esta región (Santiago de Cuba) en que el suelo tiembla con frecuencia, veremos que la Virgen del Cobre interpuso siempre su misericordia y salvó a sus fieles cuantas veces la ira divina tronaba en las entrañas de la tierra y la sacudía espantosamente.
>
> Los habaneros, que sabemos de ciclones pero no de terremotos, no podemos hacernos idea del pavor que los santiagueros experimentan solo al evocarlos. Todos coinciden con Don Miguel Estorche, que dejó descrito uno que fue largo tiempo recordado por el pueblo, ocurrido en Santiago de Cuba el 20 de agosto de 1852 en que no hay palabras para definir lo que se siente al escuchar una especie de rugido sobrecogedor que antecede al sismo ni el horror que produce la sacudida de la tierra, que se levanta y se hunde.
>
> Los estragos causados fueron enormes. Se vinieron abajo iglesias, cuarteles, hospitales; Estorche enumera cien casas derrumbadas y quinientas deterioradas, pues se cayeron antepechos, cornisas y balcones y muchos pisos altos, demostrando que les sobraba razón a los antiguos para no añadirlos a sus casas de planta baja, cuyas paredes sabían encajo-

nar sólidamente entre horcones y maderos cruzados que resistían las ondulaciones y saltos de un suelo tan traicionero, y así fue que las que no echó abajo el temblor fueron las que tenían tejado de tejamaní.

(...) la población empavorecida se apiñaba y oraba en común; rogaba de hinojos en las plazas, en los muelles, o iba en procesión con los pies descalzos rezando en alta voz. Y como en todas las procesiones de Cuba, los negros figuraban en gran proporción, entre las anécdotas divertidas que se contaban después del terremoto –en nuestro país siempre lo trágico ha de mezclarse con lo cómico– vale la pena recordar ésta de la negra Dolores, que recogió para la posteridad el Licenciado Estorche.

Marchaban devotamente los negros en una de aquellas procesiones rezando en coro las letanías a la Virgen. Todos llevaban colgado del cuello cuadros con pinturas o estampas de Santos. La negra Dolores se destacaba portando un busto de yeso muy blanco que oprimía con fervor contra su pecho. Otra negra, que no reconoció aquel Santo, se le acercó curiosa y le preguntó qué Santo era. Dolores le respondió siguiendo la letanía: –Ora pro nobis. No lo sé. Ora pro nobis. Sea quien sea, ¡Ora pro nobis!

La negra, en la confusión y el miedo, no halló a mano ninguna imagen religiosa y se apoderó de aquel busto que fue lo primero que encontró.

Era (...) el de Napoleón Bonaparte.

Lo que dio pie a un francés de los muchos que había en Santiago, testigo del incidente, para decirle a la negra: –¡Tienes razón; también él hizo temblar la tierra!

En ningún lugar se sintió el terremoto con mayor intensidad que en el Cobre. Allí con la Virgen de los Dolores, la Virgen de la Caridad hizo el milagro de salvar a cuantos estaban trabajando en las minas debajo del santuario.[13]

Por último, refiriéndose al respeto existente en la población cubana por esta divinidad, Lydia Cabrera señala: "Pudimos comprobar en un recorrido demasiado breve por la provincia de Oriente la devoción que sienten los santiagueros por su Virgen. Recuerdo que en Bayamo nos dijo un comunista: 'Nosotros no creemos en Dios, pero a la Caridad del Cobre la respetamos'".[14]

Oración

¡Oh!, santísima Virgen de la Caridad, Madre mía y Señora Soberana, con cuanta alegría acudo a postrarme a tus pies.

¡Virgen de los milagros!, como te llamaban nuestros mayores; cura a los enfermos, consuela a los afligidos, da ánimos a los desesperados, preserva de toda desgracia a las familias, protege a la juventud, ampara a la niñez.

[13] Lydia Cabrera: Ob. cit., pp. 66-68.
[14] Ibídem, p. 68.

Nadie puede publicar dignamente las maravillas que obras cada día a favor de las almas que te invocan, justificando así la confianza y el amor que te profesan todos tus hijos.

Desde tu Santuario del Cobre, Venerable Virgen de la Caridad sé siempre el manantial de todas las gracias. Amén.

¡Oh!, espíritu único, sin principio ni fin, omnipotente, omnipresente de cuyo océano mi vida es una gota, déjame sentir la presencia de tu padre. Déjame conocer más plenamente que tú eres y que yo soy en ti. Haz que la conciencia de tu realidad y mi realidad espiritual penetre todo mi ser y ocupe todos los planos de mi mente.

Haz que el poder del espíritu manifestado por medio de mi mente, penetre en el cuerpo de este otro ser a quien deseo curar o en mi propio cuerpo, infundiéndole salud, vigor y vitalidad, para que sea aún más digno templo del Espíritu Santo; un más expedito canal de la vida única.

Haz que este cuerpo se levante sobre las groseras vibraciones de la naturaleza inferior y alcance las sutiles vibraciones de la mente espiritual por el que te podemos conocer, dale a este cuerpo por medio de la mente que lo anima la paz, fortaleza y vida, que le pertenecen por virtud del ser.

Haz que el flujo de energía se derrame sobre esta parte perturbada del cuerpo y que la reviva y normalice, esto te pido, oh espíritu omnipresente, porque hijo tuyo soy y por razón de tu promesa y del interior conocimiento que me diste. Amén.

Mitos y leyendas sobre el origen de Oshún en Nigeria

Cuentan que Oshún nació en Oshogbo, Nigeria. Narra la leyenda que había una vez un rey llamado Naro, antepasado del Ooni de Ife (rey de los yorubas) quien después de haber vagado durante largo tiempo con sus súbditos en busca de un lugar propicio para fundar su ciudad, llegó al río Oshún en el poblado de Oshogbo.

Dicen que un día las tres hijas del rey desaparecieron cuando se bañaban en las aguas de aquel río y que el padre angustiado, y toda la población consternada, salieron en su búsqueda por toda la comarca sin encontrar el menor rastro de ellas. Cuando ya desaparecía todo destello de esperanza y el rey Naro desesperado le pedía a la muerte que se lo llevara, aparecieron las hijas del rey.

Las tres niñas le contaron al padre que bañándose se encontraban en el río cuando de pronto surgió un remolino que se las llevó hasta las profundidades. Se debatían en el agua tratando de salir a flote pero les era imposible. Fue

entonces cuando apareció la diosa del río Oshún (Osún en yoruba) y las salvó de aquel calvario y les pidió que la acompañaran por unos días para mostrarles las maravillas del lugar.

El rey después de escuchar lo sucedido fue hasta la orilla del río para homenajear a la reina que había salvado a sus hijas. Ocurrió que cuando se encontraba depositando una ofrenda en el agua de repente surgió un pez, el mensajero de Oshún y le puso en sus manos una calabaza.

Dicen que el rey quedó profundamente conmovido y decidió establecerse allí por el resto de su vida adoptando el nombre de *Ataoja*, contracción de la frase *A tewo gba aja* (el que tomó con sus manos el pez). Y entonces dijo: "*Osún Gbo* (Osún está madura) sus abundantes aguas no nos faltarán jamás".

Otra versión sobre este acontecimiento narra lo siguiente: Durante el tiempo en que el rey Timi fue expulsado del antiguo *Oyó* para establecerse en Ede, los pobladores de *Ijesha*, enviaron al Oeste, al guerrero Laro para localizar a una avanzada enemiga a lo largo de una ruta comercial que era disputada en aquel entonces. Cuando Laro y sus hombres arribaron al cruce del río llamado *Ofatado* (donde el arco y la flecha descansan), Laro le dijo a sus seguidores: "Dejemos a un lado nuestras armas de guerra y de muerte. Aquí donde siempre encontraremos agua fresca fundemos un pueblo para nosotros y olvidemos la persecución de nuestra anterior existencia".

Pocos días después una de las hermanas de Laro, mientras se bañaba, desapareció bajo las aguas del río. Esto parecía una señal de mal agüero. Ocurrió que cuando Laro, apesadum-

brado, observaba desde una roca la aparente traición de la ensenada, reapareció su hermana vestida esplendorosamente y con los brazos cubiertos de manillas de bronce. Laro inmediatamente quiso mostrar su agradecimiento a la diosa del río por haberle devuelto a su hermana. Cuando muchos peces salieron a la superficie para recibir los regalos, Laro dijo: "Esto es natural. Ella es tan benévola como dice mi hermana. Sin duda que a partir de ahora todo será bien para nosotros". No había terminado de decir estas frases cuando un largo pez que nadaba por el lugar lanzó un chorro de agua sobre él. Laro recogió el chorro de agua en su jícara y se la bebió diciendo: "Seguramente esta es una ocasión excepcional". Laro extendió sus manos y el largo pez brincó sobre ellas a la vez que decía: "Desde ahora usted y sus sucesores se llamarán *Ataoja* (el que extendió sus manos y agarró el pez), pero algo más, si usted promete no construir sobre la sagrada orilla de mi dueña Oshún y decide hacerlo un poco más allá sobre la cima de la loma, entonces ella protegerá su pueblo por toda la vida".

"En ese caso, dijo *Ataoja*, yo le daré a mi ciudad el nombre de *Oshogbo* (madura Oshún) en honor a sus abundantes aguas. Dígale a ella que no tema en enterrar sus riquezas en esas arenas. Nosotros las protegeremos. Dígale además que por mi parte yo le prometo que en lo adelante yo renovaré nuestro pacto cada año haciéndote ofrendas a ti y a sus mensajeros y que uno cada cuatro días será consagrado a su adoración".

"En ese caso, dijo el pez, su generosidad no fallará en hacer de tu pueblo su pueblo espe-

cial, y con prosperidad. No olvide que la harina de maíz y la miel son nuestros platos favoritos". Y diciendo esto el pez se lanzó de nuevo al agua.

Desde ese entonces, todos los años, el *Ataoja* (rey del poblado), en nombre de su pueblo, renueva el contrato original. Pero es una joven muchacha, la sagrada *Arugba*, quien lleva el peso de la ceremonia conduciendo a la multitud hasta un lugar comunitario de adoración.

Ella camina separada de los que la siguen, alejada de la senda a lo largo del río acompañada solo por altos sacerdotes. Sumida en un profundo trance marcha sola, al encuentro de Oshún en el lugar donde originalmente le apareció a *Ogidan*, el pionero de *Ipole*. Al sonido de antiguas encantaciones, ella camina elegantemente para no tropezar, para no herir a la hospitalaria tierra que la cobijó y su boca permanece cerrada por dos amargas *kola nuts*[1] que a ella no le permiten hablar de lo que ha encontrado, visto y oído.

En Oshogbo existen tres principales santuarios donde se le rinde culto a Oshún y que tuve el privilegio de visitar nuevamente durante mi última visita a Nigeria en marzo de 2002.

Uno es el *compound* del palacio del Oba (jefe tradicional), donde las sacerdotisas principales *Iya Osún* y el sacerdote *jefe Aworo* ejecutan las ceremonias regular todos los domingos de Osún, llamados *Ose Osún*. Esto tiene lugar cada cuatro días, según el calendario yoruba.

El palacio está constituido por una rudimentaria edificación de dos plantas, en lo alto de cuyo portón aparece pintado el símbolo del po-

[1] Semillas de un árbol típico de Nigeria. (*N. de la E.*).

der constituido por dos elefantes sosteniendo una corona bordeada por dos ramas que se cruzan. Debajo de este diseño, un pez y un letrero que dice: *Ataoja Osogbo.* Este es también el lugar donde se guarda una figura sagrada en bronce dedicada a Oshún, llamada *Eda Osún.* Es una pequeña, pero impresionante y tosca representación de seres humanos. Los grandes ojos son para ver las penurias de sus hijos y las orejas para oír sus plegarias.

Frente al palacio de la localidad, en una instalación que rodea a su patio interior, en cuyo centro se alza un árbol *Peregún* sagrado, se encuentra una considerable colección de tallas en madera que representan a Oshún.

Pero la más importante de las instalaciones la constituye el *Museo de Osún.* Se trata de un santuario erigido a la diosa por la ciudadana austríaca Susanne Wenger, quien se estableció definitivamente en Oshogbo, construido de forma rústica en un bosquecillo cubierto de hojas secas caracterizado por el silencio y la paz que se respira.

La entrada está constituida por una gran puerta mural diseñada en metal con figuras talladas entre las que se aprecian: una sirena representativa de Yemayá, un guerrero, un tamborero, una tinaja, peces y otros dibujos.

En el interior del bosquecillo se erigen varias estatuas: la del primer cazador que llegó a Oshogbo, hecha rudimentariamente de piedra. El monumento a Oshún constituido por la figura de una mujer con los brazos en forma de *v* sosteniendo a una criatura y varios niños tallados a sus pies. La escultura está elaborada del tronco de un árbol y erigida sobre la base del mismo.

Otra de las estatuas está conformada por un tronco con cabeza, cuello, brazos abiertos, cuerpo deforme y los pies pisando la figura de un animal. Este árbol tiene sus raíces en las aguas del mismo río Oshún.

El río, rodeado de una verde y tupida vegetación, no es ni muy ancho ni muy largo. De poco caudal y aguas turbias y amarillentas, con algunos claros espacios. De vez en cuando se escucha el rudo canto de un ave volando. A un costado se encuentra el templo principal, al cual acuden las personas para hacerle ofrendas a esta deidad, una especie de caverna con múltiples efigies talladas y donde varios de sus seguidores se prestan a consultar o a vender objetos de artesanía.

En este museo tiene lugar el gran festival anual que dura ocho días. Durante el mismo, las mujeres estériles toman agua del santuario de Oshún con la esperanza de volver el próximo año acompañadas del hijo o los hijos por ella concedidos. En esta ocasión repiten una y otra vez: *Yeyé o, yeyé o, yeyé o.* (¡Oh, graciosa madre, oh, graciosa madre, oh graciosa madre!).

En Nigeria la llaman *Oore Yeyé* que significa "La madre benevolente", "Oore" es benevolencia o bendición. *Yeyé* es una madre o abuela que ha alcanzado cierto grado de madurez y de respeto, una persona que tiene varios hijos o nietos y se ha ganado el reconocimiento de los demás. A una mujer de cualquier edad que ha parido por primera vez se le llama *Iyá.*

Según algunas tradiciones yorubas Oshún fue una mujer muy bella que se bañaba con miel y le gustaba bailar desnuda, y que se convirtió en río cuando supo de la muerte de su querido y

adorado esposo Shangó, otras dicen que fue cuando huía de la cólera de su marido.

Se afirma que en el tiempo de la creación, cuando Oshún estaba viviendo en las profundidades de *orun* (cielo), Olodumare le confirió el poder de velar por cada uno de los niños creados por Obatalá. Oshún sería la proveedora de hijos. Ella debía garantizar que los hijos permaneciesen en el vientre de sus madres, asegurándoles medicamentos y tratamientos apropiados para evitar abortos y contratiempos antes del nacimiento (por eso se dice que también es la diosa de las embarazadas). No debía encolerizarse con nadie a fin de no rechazar hijos de enemigos y conceder embarazo a los amigos.

Oshún fue la primera *Iya-mi* (sacerdotisa) encargada de ser "Olutoju awon omo", aquella que vela por todos los hijos y "Alawoye", la que cura hijos.

Unos dicen que mientras Orula es la sabiduría, Oshún es el conocimiento. En Nigeria ella es la líder de los cultos conocidos como *Iyami Oshoroga.* También es famosa por su participación en la creación del feto en el útero. Ella preside el embrión junto con Yemayá y Obatalá, que es el escultor, el que da la forma humana y el *ashé* de la palabra.

En Nigeria, los sacerdotes de Oshún, por lo general, se trenzan el cabello al estilo de las mujeres y usan collares de cuentas transparentes de color ámbar, tobilleras, brazaletes y diversos objetos de bronce y metales amarillos. Su asentamiento guarda un *otá* (piedra), una espada de metal amarillo o un abanico, una tobillera, algunos caracoles, monedas, peine y al lado se le pone una vasija de agua con su *ashé*. En muchas ceremonias se encuentran, también, estatuillas representando a una mujer de cabellos trenzados sosteniendo a un bebé o amamantándolo.

Mientras que en África pasea sobre el elefante, en Cuba se hace acompañar por el pavo real. De ella se ha dicho que es hija de Naná Burukú y Olofin, que tuvo hijos con Oduduwa, Orunmila e Inle. Con Oduduwa tuvo a Oloshe, con Orunmila a Poroye, ambas niñas, y con Inle tuvo a Logun Ede.

Fue mujer de varios orishas, entre estos: Orunmila, Oduduwa, Oshosi, Osaín, Ayaguna, Babalú Ayé, Agallú, Inle, Ogún, Shangó, Obatalá; pero si así fue, se asegura que sucedió en las distintas etapas, en los distintos "caminos" o "avatares" donde aparece que lo hizo por el bien de su pueblo o de la humanidad o por algún sacrificio impuesto y también por amor. Nunca fue mujer de dos hombres a la vez, al contrario es enemiga de la traición conyugal y defensora del matrimonio y del hogar.

Dicen que con quien más hijos tuvo fue con Obatalá y que es por esto que los hijos de Oshún generalmente se consagran a ese orisha. Pero su gran amor fue Shangó, por él su corazón palpitaba como por ningún otro. Se dice que con él tuvo a los *ibeyis* (mellizos) que después entregó a Yemayá para que los criara. Aunque hay quienes señalan que su verdadera pasión fue Inle.

Según algunas tradiciones estuvo casada legítimamente con Orunmila, de quien fue su *apetebí*, y que entró en conflicto con él, no por causa de un vulgar triángulo amoroso, sino porque Orunmila, no correspondía con sus deberes de esposo.

Cuando se afirma que Oshún es la diosa del amor, no es porque este nazca en ella, pues se dice que el amor nace en el encuentro de la tierra y el mar, en Yemayá y en Orisha Oko.

En Cuba, entre las deidades yorubas que más se adoran, se encuentra Oshún, la mismísima Virgen María de la Caridad del Cobre, la *Venus lukumí*, la *Afrodita yoruba*, la *Cachita* de los cubanos, *Yeyé*, *Yalorde* o *Iyalode*. *Iyalode*, es un título que se le da corrientemente a Oshún y está relacionado con el mito en el cual ella se convierte en *Ibú Kolé*.

Según Pierre Verger, y así lo hace saber Lydia Cabrera en su libro *Yemayá y Ochún*: "Yyalode es, en una aldea yoruba, la que está al frente de las mujeres de la comunidad, especialmente de las que venden en el mercado y que las representa en el palacio del Rey y en el Consejo. En Cuba, Yyalode es Ochún; y reina, señora importante, mujer instruida".[2]

En la Regla Kimbisa del Santo Cristo del Buen Viaje, Oshún es *Shola Wengue*. En la Brillumba es *Mama Shola* y *Sbimú Kalunga*. También es reconocida con el nombre de *Madre del Agua*. En la Sociedad Secreta Abakuá se le conoce como *Yarina Bondá*. Los ararás la llaman *Avoloto*.

Ella es la diosa de la miel, de la belleza, de la dulzura, del encanto, de la sensualidad. La dueña de la cascarilla, la secretaria de Olofi. Su historia está colmada de abnegación y sacrificios por el bien de todos y para todos. Es además la dueña del cobre, la diosa del *owó* (dinero), la dueña del bajo vientre y del estómago, la dueña de la casa, del Dilogún o caracoles, de la risa,

[2] Lydia Cabrera: Ob. cit., p. 73.

la diosa del matrimonio y del amor. La divinidad protectora de Abeokuta, la originaria de Iyesá.

Oshún es la belleza y la vida, la alegría y la tristeza. Su risa y su llanto encierran sentimientos distintos. A veces cuando ríe sufre y a veces cuando llora vive. Cuando Oshún nació el sol se hizo más brillante. Ella es la luz del día, es la alegría, es una *kukundukun*, es decir, una mulata en lengua lukumí.

La diosa de la feminidad tuvo varios amores, fue una Venus coqueta pero esto no puede ser razón de equivocaciones. "Sería un error pensar que Ochún es 'panchaga' en todo tiempo, y no obstante su divinidad, una alegre y despreocupada mujer de la vida. Subrayando solo su liviandad se comete el pecado de faltarle al respeto, sobre todo si no se entiende como nos recalcó un viejo adorador de Ochún, 'que su putería es sagrada'".[3]

Las mujeres abandonadas por su marido la buscan para lograr la reunificación. Ella contribuye a la armonía y a la estabilidad del matrimonio, aboga por la comprensión y la tolerancia. Muchas relaciones se han salvado gracias a su intervención. Con ella se puede alcanzar seguridad, protección y firmeza en el amor.

Hay un mito donde se señala que Oshún al principio en la Tierra era cocinera de los orishas y que estos no la consideraban, razón por la cual comenzó a trastornarlo todo con sus polvos hasta que los orishas tuvieron que considerarla.

[3] Ibídem, p. 117.

Para algunos Oshún es la menor de los orishas, para otros es hermana o hija de Yemayá de quien recibió las riquezas. Siendo la menor de los orishas ella los puede suplir a todos, incluyendo a Obatalá.

Mujer limpia y pulcra, le gusta mucho arreglarse y es amante de los perfumes y de las joyas. No le gusta lo falso, por eso no admite las fantasías, prefiere la verdad, siempre la verdad. Es una santa que no perdona cuando le fallan.

Benévola y misericordiosa, aunque a veces cuando ríe mata. Y es que Oshún y todos los orishas son como las fuerzas de la naturaleza, buenos y malos según las circunstancias y sus "caminos".

Defiende a sus hijos como una fiera. No hay que extrañarse al oír a una hija de Oshún decir: "Yo quiero a mi Santa más que a cualquier otro ser querido por mí, más que a mis propios hijos, y es que ella es quien me los cuida, me los protege y a quien le pido por su felicidad".

Oshún canta, baila y responde, si bien la llaman, parece sorda pero sabe oír porque conoce las emociones humanas. Es como una medicina por su dulzura. Muchas mujeres se pintan y arreglan estimuladas por ella.

Según la leyenda nigeriana, Oshún cambió su pelo largo a Yemayá por telas de colores muy bellas y con el pelo que le quedó, se hizo hermosos peinados, naciendo así la ciencia de los cosméticos y del tocador del cabello.

Oshún hace que la mujer se sienta feliz por ser mujer. Su altanería en ningún momento significa desprecio. Ella hizo que Oba se riera cuando estaba envuelta en sus peores dificultades.

Así como es de protectora, es también recelosa de lo suyo. Cuida y aprecia en gran medida los regalos que se le hacen y se encariña con todas las cosas que le son entregadas con sinceridad y amor. Oshún a veces es como una niña y a la vez es una mujer que es mucha mujer. Sus hijas presumen de haber nacido de ella.

Donde haya amor siempre se le encontrará y también donde abunden los problemas. Oshún como casi todas las deidades del panteón Orisha es indivisible y divisible, es singularidad y pluralidad.

Sobre Oshún escribió el eminente investigador Fernando Ortiz:

> La diosa Ochún es otra mujer divina, "la más divina de las diosas", como diría el cronista social del diario *El Otro Mundo.* Hija de campesinos, nació en el monte y es diosa de los ríos y del agua dulce y de toda la dulzura. Ochún es la mulata santa. En Cuba es la parda Virgen de la Caridad del Cobre. En África no es virgen; es como Afrodita, alegre, falaguera, tiposa y algo relajona; pero buena y santa madre. Es diosa del amor fecundo y conyugado, de la lujuria y del hogar. Su música es la más sensual, sus versos son los más salaces. Sus danzantes, con sus ademanes de veneros, la evocan como la ninfa de los ríos; le recuerdan sus virtudes de madraza y de amante esposa, remedando el movimiento de los brazos de la mujer africana al moler en el pilón la harina del funche familiar. Y, en fin, con las manos tendidas hacia adelante, en imploración, y con alusivas contorsiones pelvianas de furor libidinoso, piden ¡oñí!, ¡oñí! O sea,

¡miel!, ¡miel!, afrodisíaco símbolo de la sabrosura, de la esencia amorosa de la vida.[4]

Una de las leyendas sobre Oshún, recogida por Cross Sandoval, narra lo siguiente:

> Ochún la diosa del amor, de la miel, del río y de todas las cosas dulces, supo que muchos de sus hijos estaban siendo enviados a Cuba, y que ahí, solitarios y tristes le echaban mucho de menos. Ochún decidió irse a Cuba a consolarlos, quería bailar y regocijarse con ellos. Ochún estaba preocupada porque tenía miedo al viaje. Impulsada por sus temores se fue a ver a su hermana Yemayá, la dueña del mar, y le dijo: "Yemayá, tengo que cruzar el mar, tengo que ir a reunirme con mis hijos que están en Cuba pero tengo miedo al largo viaje (...). Pero dime, tú que has estado en Cuba, tú que llegas a todas sus orillas, a sus playas. ¿Cómo es Cuba, cómo son los cubanos?".
>
> "Cuba se parece mucho al África, Ochún. Nunca hace frío, hay muchas palmeras y coteros, los ríos son mansos, las noches son largas. Sin embargo, no todos los cubanos son negros como las gentes de aquí, los hay blancos y mulatos". Ochún, con voz apasionada, respondió a Yemayá: "Yemayá, lo que me has dicho de los cubanos me preocupa pues es algo nuevo para mí, por eso quisiera me concedieras dos dones. Suavízame y alísame un

[4] Fernando Ortiz: Conferencia de la Institución Hispanoamericana de Cultura, pronunciada en el teatro "Campoamor", el 30 de mayo de 1937.

poquito el pelo con las aguas de tu océano, y aclárame un poco la piel. Así, cuando lleguemos a Cuba, no seré ni negra ni blanca y seré querida y adorada por todos los cubanos: negros, mulatos, blancos, todos serán mis hijos". Yemayá con majestuoso y maternal gesto le concedió a Ochún los dones, siendo los cubanos agraciados con una patrona, una madre que físicamente encarna las característica de todos sus hijos.[5]

[5] Juan F. Benemelis (ed.): *La memoria y el olvido*, p. 219.

Atributos de Oshún

¿Para vestirse? El amarillo le maravilla. Ese color de miel de abeja y de ámbar, con su saya ajustada a la cintura y su abanico de adorno.

Le gusta el dulce, sobre todo las panetelas con bastante miel y la gragea, las natillas de huevos, el flan de calabaza, todos los dulces finos y la miel, que debe ser probada cuando se le ofrezca, pues ya en una ocasión trataron de envenenarla. A partir de ese entonces la diosa exige que siempre ante ella se pruebe el oñí.

Le agrada comer arroz amarillo, revoltillo de huevos con acelgas, pedazos de carne de gallina, le gusta el pescado en salsa de tomate y el ñame asado o hervido, la harina de maíz. Le gusta tomar cidra o cerveza. Es bueno que sus comidas sean sazonadas con almendra, berro, canistel y flor de agua. Le gustan los corales, el anís y la canela; y el berro, la lechuga, la escarola, las acelgas y el chayote son verduras que ella apetece. De la espinaca y el perejil, que son propiedad de Oshún, se valen sus adoradores para envolver su piedra con sus hojas cuando da muestra de enfado.

De la Venus lukumí es el melón de Castilla, pero sin discusión su fruta favorita, la que más aprecia y pide la voluptuosa Yeyé, es la naranja dulce de China, color de oro, que sus hijos le regalan en el río. Le place la piña, la papaya, la uva y la pera de agua.

Los hijos de Oshún renunciarán al boniato, la malanga y la calabaza, ni siquiera pueden picar una calabaza pues representa el vientre de la diosa. No comerán huevos, ni alimentos recalentados.

"¡Yeyé (Oriyeyeo)!", dulce, amable, le gritan sus fieles cuando "baja" (se manifiesta). "¡Yeyé omó ti bere!" (Madre santa, tu hijo te ruega).

Sus animales preferidos son: el pavo real, el faisán, el aura tiñosa, el caimán, el chivo capón, el gallo, la gallina, la paloma, la guinea, el pato, la jicotea, la codorniz y el canario. Se le sacrifican además ratones, chivos, aves y conejos. Aunque los sacrificios más frecuentes para Oshún son las palomas, gallinas y chivos. El carnero es tabú para esta deidad, y es causa de conflicto con su hermana Yemayá quien disfruta del carnero y rechaza al chivo.

Oshún en su avatar de amante de Oshosi come también *agbari* (venado), y lo come también porque es *apetebí* de Orula y él lo come.

El pavo real no se le sacrifica a Oshún sin hacer *itá* (consulta). Al pavo real se le rinden honores de rey y se teme su sacrificio, precisamente por eso, "porque es un *oba* y su muerte puede acarrear desgracia".

> Cuando un rey moría allá en África [nos explicaba Bamboché] con él moría mucha gente, y por eso, al sacrificar al pavo real, que tiene corona, hay que sacrificar muchos animales; si no, alguien puede morir. En mi tiempo, los Calero (...) bueno, quien sabe ya quiénes fueron los Calero, le dieron a Ochún un pavo real, y para esto tuvieron que venir del campo muchos lucumí, viejos y viejas, porque éste es un sacrifico de mucha responsabilidad. ¿No comprende que equivale a matar a un rey?[1]

Sus flores preferidas son: girasoles, guacamayos y botones de oro. "No era costumbre en mi tiempo ponerle flores a los Orichas, ni en los Cabildos de verdadero abolengo africano se les ponía. No las pedían los dioses. No obstante a ella siempre hay que ponerle su girasol, la flor que la distingue".[2]

Sus hierbas esenciales del asiento son: lechuguilla, yerba añil, verbena, prodigiosa, paraguitas (quita solito), flor de agua, helecho, berro, lechuga, yerba buena, albahaca morada, guamá, guásima, botón de oro, yerba de la niña, coate o colonia, marilope, panetela, huevo de gallo, helecho de río, guacamaya, yerba mora, corazón de paloma, cucaracha, diez del día, orozú y palo de canela.

Otras hierbas afines a ella son: resedá, almácigo, jaboncillo, abre camino, alambrillo, cerroja, maravilla amarilla, flor de agua, maíz colorado, hierba de la vieja, alacrancillo rosado, coralillo, culantrillo de pozo, no me olvides,

[1] Lydia Cabrera: Ob. cit., p. 281.

[2] Ibídem, p. 285.

himo macho, anón, embeleso, romerillo, platanillo de Cuba, cundiamor, sapote, guacamaya francesa, albahaca, flor de muerto, jia amarilla, pomarrosa, saúco amarillo, varia, verdolaga, calabaza y guamá de costa.

Sus piedras preciosas preferidas son el coral, el ámbar y el topacio; y los metales que prefiere son el oro y el cobre.

Ella tiene varios días pero los principales son los sábados y los días 5, los 15 y los 25, sin embargo, su fiesta como Virgen María de la Caridad es el 8 de septiembre, y como Oshún propiamente es el 12 del mismo mes.

La sopera de Oshún consiste en un recipiente de color amarillo o amarillo y blanco, lleva dentro: cinco piedras, una mano de caracoles, dos remos, y cinco manillas. Para refrescar las piedras que son la verdadera representación del orisha se envuelven en hojas de lechuga.

La corona de Oshún (Lade Kuete) se coloca encima de la sopera. Simboliza su majestuosidad y está compuesta de cinco puntas de las cuales cuelgan cinco rayos, o cinco lanzas, o cinco flechas.

Otros atributos de ella son: abanicos de sándalo o pluma de pavo real, pececillos, camarones, conchas, botecitos, espejos, joyas, corales marinos, sábanas, paños bordados y todo objeto propio del tocador femenino. Además, marugas, acheré, agogo, irukes y pañuelos.

Para la confección de los collares, los *ileke*[3] de Oshún serán solo cuentas de ámbar o cuentas amarillas llamadas *iyeyé*. Los de Oshún Olodó,

[3] *Ileke* o *eleke* se llaman las cuentas de vidrio con que se confeccionan los collares. De ningún modo se ensartarán las cuentas con el moderno e impermea-

Oshún Ibú Akuara y Oshún Gumí, cuentas rojas, verdes, esmeraldas y amarillas de tono mate. Los de Oshún Ikole, rojas y ámbar. Estos collares se lavan o refrescan con *ewes* de esta orisha: botón de oro, coralillo, yerba de la niña, romerillo y sauco amarillo.

En términos de iniciación en la Regla de Osha o en Ifá, todo proceso de iniciación comienza en el río. Sin "saludar", rendirle homenaje a la dueña del río, sin purificarse en sus aguas, no se efectúa ningún asiento.

Para referirnos a esta ceremonia hemos escogido la descripción que nos ofrece Lydia Cabrera en su citado libro.

> Efectuado el ebó de entrada, a la hora en que el sol va de retirada, se lleva a la omó-Orisha al río. En algunos *ilé* se prefiere la noche al atardecer, y la purificación por el agua viva se practica a la luz de la luna o de las estrellas. La conduce la *Oyugbona*, segunda Madrina de Asiento, asistente de la *Iyaré*, o si se quiere, "la criada del Santo".
>
> El neófito suele llevarle a Ochún una cazuelita con *ochinchín* (guiso de camarones, acelgas, tomates y alcaparras), uno de los manjares predilectos u otras ofrendas de boca igualmente gratas a la diosa, y le paga un derecho, que era en Cuba –en la castiza provincia de Matanzas–, de cinco centavos.
>
> Después se *moyuba*. De *yuba* –rendir pleitesía– hicieron los criollos "moyubar" (Mo, yo. Yuba, respetar, venerar).

---

ble nylon, sino con el tradicional hilo natural. Ver Lydia Cabrera: Ob. cit., p. 120.

Ochún yeyé mi ogo mi gbogbo ibu laiye nibo gbogbo omorisha lowé mo to si gbá ma abukón ni. Omi didume nitosi oni Alafia atiyó obinrin eleré aché wawo atiré maru achó gelé nitosi yo Ayaba ewá ko eleri riré atiyó. Betonichó nitosi komo nigbati wa ibilu obinrin ikú oko Olofi odukué.

(Ochún, madre de gloria absoluta, inmortal, Reina bellísima y adorada, hacia ti van todos los hijos de Orishas, a tu lado los afligidos por una desgracia o deficiencia física [abukán] a lavar su cuerpo y purificarse en tu agua. Te rogamos, te hablamos, que tu corriente se lleve la miseria. Concédenoslo. Mensajera de los muertos y de Olofi. Muéstrate alegre, contenta, mujer que tienes cinco pañuelos para bailar).

Después de saludar a Ochún y de explicarle la Oyugbona por qué motivos va a asentarse esa omó. La novicia deposita la ofrenda en el río. La despojan de sus ropas ripiándoselas en el cuerpo y queda enteramente desnuda.

Los Babalochas (Santeros) se ocuparán del baño de los neófitos.

Asistida por las otras Iyaloshas que presencian la lustración, implorando para la futura esposa mística la protección de la diosa del río, la Oyugbona la baña. Le lava cuidadosamente la cabeza con jabón, la frota, le lustra el cuerpo con un estropajo, la envuelve después en una toalla nueva y la seca.

La ropa hecha girones, las medias, los zapatos, el estropajo y el jabón se abandonan a la corriente. La toalla se guarda. Para esta purificación se escoge un lugar del río en que corran las aguas y se lleven los despojos.

Vestida de limpio regresa al *ilé* llevando una tinaja llena de agua.[4]

Acerca del baile a Oshún, Fernando Ortiz señala lo siguiente:

> Su música y sus bailes son los más sensuales, sus versos son los más salaces. La bailadora de Ochún la evoca agitando los brazos para que suenen sus manillas de oro. Y desde lo alto, como desde las cimas de las montañas, sus manos bajan y corren a lo largo de su cuerpo, como los manantiales y arroyos. Sus saltos, sus vueltas y sus ondulaciones suaves muestran la alegría juvenil y recuerdan así los rápidos del río, como sus torbellinos y las ondas lánguidas de los remansos. A veces baila Ochún con ademanes de remero en faena de canoa. En otros momentos recuerda su feminidad virtuosa, imitando los movimientos de la mujer africana al moler en el pilón la pulpa del funche familiar. Y, en fin, danza con voluptuosidad y con las manos tendidas hacia delante, en imploración y con alusivas contorsiones pelvianas de furor libidinoso, pide "¡oñí!, ¡oñí!", o sea ¡miel!, ¡miel!, afrodisíaco símbolo del dulzor, de la sabrosura, de la esencia amorosa de la vida.
>
> Un tiempo Ochún bailaba desnuda con su cuerpo resplandeciente, o "brilloso" untado de miel. Hoy no se dan esos bailes ortodoxos, pero acaso pronto se vean de nuevo, si no en los templos, por una renovación de la ortodoxia negra, probablemente en los cabarets y teatros, por novelería de la civilización moderna

[4] Lydia Cabrera: Ob. cit., pp. 139-140.

y "blanca" que nos está acostumbrando a tales desnudeces.

Las danzas de Ochún se desarrollan a veces, una tras otras, como los episodios de un poema coreográfico basado en la leyenda mítica de la diosa. Así tenemos primero una especie de "danza de los manantiales". Ochún baila a la orilla del río, acaso en su cauce enjuto, y hace que por este fluyan las aguas que hace venir de los montes. La bailadora llama a uno y otro lado del río, por todos sus caminos que son como sus arroyuelos y manaderos, y después sus mudanzas van representando las ondas de las aguas ya fluyentes y sus espirales. Luego otro baile, "el baño de Ochún". La diosa ha llegado y al contemplar las límpidas y acariciadoras aguas fluviales, aparece bañándose en su corriente, como en un rito lustral. Juega con el agua, se lava con ella, se peina el cabello, que divide en ondas como el río en las cataratas; se mira en el cristalino espejo de un remanso, quieto como la superficie de un laguna; se contempla a sí misma con la fina coquetería de una hembra divina o de una diosa mujer. Ochún se sabe hermosa y viste para la fiesta de la vida. Continúa el poema coreográfico de Ochún. La diosa se ha vestido y acude al sarao a que la naturaleza invita. Ahí va Ochún engalanada, luciendo en sus muñecas las manillas de oro, joyas que tintinean como la lluvia que cae del cielo, el fontanar supremo del agua dulce. Su cuerpo se contonea en lúbricas solicitaciones; es el amor que llama al goce misterioso de la creación (...).[5]

[5] Fernando Ortiz: *Etnia y sociedad*, p. 211.

Oshún-Virgen de la Caridad del Cobre

Los aspectos que han sido considerados en su sincretismo son el hecho de que la Virgen apareciera en el agua al igual que Oshún; la imagen con un niño en los brazos de la Virgen, Oshún es considerada la protectora de los niños por nacer; Oshún es la dueña del bajo vientre, y la Virgen de la Caridad es considerada abogada de los partos y favorecedora de la fecundidad.

Otro elemento para considerar dicha equiparación está en el hecho de que a la Virgen se le denomina como Virgen cobrera, por el lugar donde se encuentra ubicado su templo en la zona oriental del país. Entre los yorubas Oshún es considerada la dueña del cobre o del oro. De cobre eran también algunos de los objetos que se le ofrendaban a la orisha, como los brazaletes y abanicos. En muchos de los altares de la Virgen de la Caridad era frecuente encontrar quilos prietos, centavos amarillentos, que se le ofrendaban a esta deidad.

También hay que tener en cuenta que Oshún era una de las orishas más importantes y populares en el panteón yoruba, mientras que la Virgen de la Caridad del Cobre, también fue y es una de las deidades más populares, o quizás la más popular, entre los cubanos.

Joel James Figarola, un profuso investigador sobre lo que él denominaba sistema mágico-religioso cubano, en su libro *La brujería cubana. El palo monte* nos brinda una semblanza acerca del sincretismo de esta virgen cuando al referirse a las minas de El Cobre señala:

> Paralelamente con lo que ocurre con la extracción y beneficio del cobre, sucedía algo equivalente con el laboreo del oro en los ríos, arroyos y lagunas de la región. En ellos las mujeres negras, la mayor parte de origen bantú, junto con las aborígenes, todas desnudas o semidesnudas, sumergidas hasta las rodillas en la corriente o la superficie mansa de los lagunatos, cribaban, imponiendo al jibe un movimiento circular que se originaba en sus cinturas y caderas, las cargas de arena que los hombres congos y aborígenes les llevaban desde las orillas.
>
> La voluptuosidad de las desnudeces, del movimiento rítmico y sugerente, de la humedad y la sombra del ambiente físico, condujo no solo a un expedito mestizaje demográfico sino a una cultura de profunda raíz sincrética, en la cual las deidades arahuacas del agua y la fertilidad se unieron con las deidades congas y más tarde con las hispanas y las yorubas, dando origen al culto de la Virgen de la Caridad del Cobre, diosa del amor, la ternura y, en su variante africana, también del oro y la lujuria.[1]

[1] Joel James Figuerola: *La brujería cubana. El palo monte*, p. 135.

Oshún es una y múltiple a la vez, con diferentes caminos o avatares

Oshún, como todas las deidades yorubas en Cuba, tiene varios *caminos* o *avatares*, esto quiere decir cómo es que se presenta, cúal es su carácter, su personalidad, sus rasgos principales y qué significa. Entre esos *caminos* se encuentran los que aparecen a continuación.

Ibú Adesa

Corona segura. Es la dueña del pavo real. Vive en una tinaja que se adorna con diez plumas de pavo real. Se le pone un aro a la medida de la cabeza de la persona, se le cuelgan diez manillas, dos remos largos, dos *edanes* (varetas que imitan lanzas de metal) largos, diez plumas de metal y un sable.

Oshún Agandara

Vive sentada en una silla. Usa una cimitarra y además lleva un candado. Se le pone mucho ñame y una corona con siete plumas de loro. Le gusta cubrirse con *oju oro* y *acibata* para que vean que no está sentada. Nace en el signo de ifá *Ika Di*. Se le pone dentro una paloma de bronce, dos *edanes*, que tengan el largo que mide desde el codo a la punta del dedo del medio. Al igual que a la Ibú Yemú se le ponen veinticinco manillas y veinticinco *adanes*.

Oshún Awé o Galadé

La más relacionada con los muertos. Es afligida junto a Ikú. Es una Oshún con la ropa sucia. Generalmente está triste. Se dice que es la verdadera polvera; es vieja y misteriosa.

En este camino la diosa del amor no se parece en nada a la mujer exuberante de vida y de alegría, limpia y perfumada que "corre como venado para llegar a la fiesta" cuando escucha repicar los tambores.

Ibú Aja Jura

Vive en la laguna, es guerrera y no usa corona. Se le pone un casco, un hacha doble y dos cimitarras.

Oshún Ibú Akuara o Ibú

Esta Oshún reina sin corona, por eso cuando viene se pasa la mano por la cabeza. Con Yemayá come dos gallinas cenizas. No se le pone hierro. Lleva dentro un triángulo y un *tin tin* de bronce.

Ella es el espíritu que vive entre el río y el océano, "esta es la de agua salada y dulce". No usa campana, sino cencerro y se le cubre con una red de pesca adornada con plumas de codorniz. En lugar de corona lleva un aro en forma de serpiente de cobre con la medida de la *lerí* (cabeza) de su hija o hijo.

Es buena bailadora, la música la apasiona, es de carácter alegre, trabajadora y tejedora. Le gusta hacer el bien y atender a los enfermos. Sus hijas son un poco locas como Akuara, la codorniz, que es loca. Tiene tendencias a escribir y a hacer arreglos para conflictos amorosos, es propensa a formar líos. Esta Oshún es la que se quedó con un solo vestido el cual se puso de color amarillo de tanto lavarlo. Se le suele llevar ofrendas, *oshinshín* (comida que se le ofrece a Oshún) con mucha miel, oro y perfumes, y una botella de sidra. Para muchos, Akuara es uno de los caminos más viejo de Oshún que viene del Dahomey. Nada se escapa a sus ataduras. Tiene un canto secreto para cuando se le da de comer.

Oshún Awa Yemi

Esta Oshún es ciega. Habla en el odun *Oyekun Meyi.* Vive acompañada de Azojuano (San Lázaro) y de Orunmila. Usa cinco bastones de bronce y cinco porrones de barro de diferentes tamaños. No usa corona. Lleva cimitarra y un caballo, en las tinajitas un *otá* de la caridad (mineral), un coral, un ámbar, un azabache, un *ada keke, osun, obi motiwao, leri adie, atitan ile.* Se le pone frente una copa grande de agua de río, agua bendita, agua de pozo, que es la clarividencia espiritual, con una piedra de alumbre dentro.

Ibú Añá

La de los tambores batá, la tamborera, se le ponen tres tambores batá en miniatura. Nace en el odun de ifá *Otrupon Ogbe*. Lleva un ozain al lado en una tinaja, una piedra imán, una piedra de la Caridad del Cobre, *ekú* (jutía), *eyá* (pescado), vencedor, yamao, amansa guapo, canela, sándalo, *oñí*, un pedazo de zunzún, un anzuelo usado. Su corona es un aro con la medida de la cabeza de la persona con tres batá, tres güiritos, dos edanes largos, dos remos largos y diez manillas. Su *oriki* es: la que no oye el tambor y va directo a él. Los ararás la llaman *Ñawedito.*

Ibú Añañi

La que es famosa en las disputas. Vive sobre arena. Lleva un abanico de bronce con cascabeles que es con lo que se le llama. Se le pone un cesto de basura, un sol, una luna, un machete, un alfanje y una hoz. Lleva una corona que se remata con un abanico, se le cuelgan un pico, cinco plumas, una cucharita, un peine, un hacha sencilla, dos remos, un carretel, cinco manillas, una soperita, un quinqué, un punto de pluma, cinco edanes, un mortero, dos peinetas, una medialuna, un machete, un rastrillo, una cama, un bote, un cuchillo, un tenedor, una azada, una butaca, una taza y un girasol. También se le pone un abanico y dos plumas de loro. La corona lleva

una escalerita con cinco pasos, un tambor y un espejo. Los ararás la llaman *Adigbano.*

Ibú Aremu Kondiano

Se viste toda de blanco porque fue la que metió los pies en la manteca de cacao. Su collar es de nácar y de corales, con tramos con cuentas de Orunmila. Es una Oshún muy misteriosa, unos dicen que es una Obatalá de río, otros lo niegan, y que ayudó a Orunmila, su compañero, a descuartizar un elefante. Lleva tablero, *ekuele*, un tarro de venado que siempre debe estar cubierto de cacao y cascarilla, una lanza, un *edán* largo y un machetico. Su corona lleva colgado dieciséis caracoles de Dilogún, sus adornos se le ponen de marfil o hueso. Come palomas y gallinas blancas. En arará la llaman *Tefande.*

Ibú Ayede

La que es como una reina. Su corona se forma con tela amarilla, se le ponen quince plumas de loro y quince plumas de cardenal. Lleva un cesto de costura, una bola de billar, un aro con la medida de la cabeza de la persona y se le cuelgan diez manillas, un espejo, una lámpara, dos *edanes* largos, dos remos largos, una butaca, un pilón, una cruz, un sable, un hacha, dos flechas, un abanico y una bola coronada. Se le ponen cinco caracoles cobo alrededor de la sopera, los cuales se ponen en un plato aparte cuando ella come; su comida consiste en cinco palomas carmelitas. En arará es conocida por *Yisa.*

Oshún Efiguereme

Palabras de alabanza: "La que está en la desembocadura del río", "la bonita que alegra", "la que sacó a Ogún del monte".

Oshún Ibú Eledan

Nace en *Oshe Lazo*. Es la dueña de las fosas nasales. Lleva dos *edanes* largos. Y cuando se le da de comer chivo a este se le meten los *edanes* por la nariz. Al chivo de esta orisha se le capa desde pequeño y se le cría. Lleva, además, un hacha y dos lanzas largas. Tiene corona con flechas de caracoles que se ponen encima de la sopera.

Ibú Elekeoñí

Es una Oshún luchadora y es muy fuerte. Usa un bastón ahorquillado y su cuerpo lleno de *oñí*. Vive mucho al lado de la mata de paraíso. Lleva una corona de semillas de paraíso, una *cimitarra* y un escudo. Usa cuatro collares, coral y azabache.

Ibú Eseldan

Es muy vieja. Sus hijos casi nunca entran en trance. Su sopera lleva dentro arena y no se puede tapar, a no ser con un encaje calado. Vive en los oasis y las dunas.

Ibú Fondae

Esta Oshún fue la que murió con Inle, está en guerra y porta una espada, se le monta Ozain en

una muñeca, a la cual se le pintan puntos blancos, y se le pone una gran pluma de loro en la cabeza. Lleva dieciséis manillas de cobre, además de las propias de ella de bronce, una jícara donde se le ponen cáscaras de naranja de china seca y polvo de sándalo. Su *adimú* (ofrenda) preferida es el ñame. Los ararás la conocen como *Zejuen.*

Oshún Idere Lekun

Nace en *Otura Sa.* Vive en las cuevas donde baila al son de las olas marinas que chocan contra los arrecifes de la entrada. También se dice que vive sobre el *owó*, pero no le gusta dar dinero. Lleva un tambor de cuña llamado Koto. Tiene que tener una *cimitarra* y careta. Tiene la cara deforme y no usa corona.

Oshún Ibú Iñare

Es hija de Ibú Añá. Vive en la playa dentro de la arena. A esta Oshún le gusta mucho el dinero. Se le pone un garabato de yamao, una *otá* de imán y mucha arena con cinco *ayes* (caracoles) grandes dentro.

Oshún Kolé-Kolé u Oshún Ibú Kolé, Akala-Kalá, Ikolé, Bankolé

El espíritu de la seducción. Es la más vieja de todas y vigila a las demás. Amiga inseparable del aura tiñosa, come solo lo que el aura le trae a la puerta. Se arrastra en el fango. Es la que

machacha polvos y es muy brujera. Tiene cinco morteros para machacar, cinco plumas de tiñosa y un barco cargado con sacos llenos de toda clase de granos: arroz, frijoles, judías, maíz, garbanzos, lentejas y chícharos. Vive en una tinaja que se mete dentro de una palangana con las cinco plumas de tiñosa, un muñeco, dos bolas de billar, una pimienta de guinea entre dos conchas, un abanico forrado de cuentas blancas, un morterito de madera, un cesto con cinco agujas de tejer, dedal e hilo.

Nace en el odun *Ogbe Tulara*. Su corona se remata por una tiñosa y lleva colgado una escoba, dos remos, un sable, una luna, una taza, una campana, un tambor, un cepillo, un peine, un mortero, una mano, un pilón, diez *ordanis* (pinchos), diez plumas y otros materiales. Esta Oshún es la que trae la comida a la casa, es muy hacendosa aunque pobre en extremo. Come lo mismo que todas, fundamentalmente pavo real (con *itá*), codorniz, gallina amarilla, chivo capón y venado. Sus "herramientas" o atributos, los mismos: *ordanis*, remos, corona, una cara de sol y otra de media luna, cinco o diez manillas (dependiendo de si es o no santo de cabecera). Su collar es de ámbar y coral. Su sopera no debe llenarse de agua.

Se dice que esta Oshún es la secretaria de Olofi, la intermediaria entre el creador, los orishas y los hombres. No tiene casa, vive en las cornisas de las casas y siempre está haciendo actividades domésticas. Posee una sola túnica, que era amarilla y de tanto lavarla se tornó blanca. Se le atribuye haber salvado al mundo en una época de sequía, para ello fue volando has-

ta el cielo convertida en buitre. Kolé significa mensajera de la casa de Olodumare.

Las hijas de esta Oshún cuando ven un aura pasar se cruzan los brazos junto al pecho y la saludan. Los ararás la llaman *Abalú.*

Ibú Latie Elegba

Come sobre una calabaza, no lleva corona. Se le ponen cinco hachas de bronce, quince flechas y vive en el centro del río. En arará es llamada *Kotunga.*

Oshún Odoko

Es una Oshún muy fuerte. Nace en el odun *Ogbe Kana.* Es agricultora y siempre está acompañada de Orisha Oko. Vive en una tinaja que se coloca con un pilón que lleva una carga, además se le pone un muñeco de palo cocuyo que lleva su carga y se forma con cuentas de todos los santos, es fuerza y refuerzo.

Ibú Ogale

Ama de llaves. Vive rodeada de tejas, lleva la corona rematada por una llave que le cuelgan: una coraza, un arco y flecha, dos *edanes* largos, dos remos, diez manillas, un machete, una azada, un pico, un rastrillo, una pala, una barreta, una regadera y un tridente. Es vieja y peleona. Muy hacendosa y cuida todo con mucho celo. En arará es *Oakere.*

Oshún Ololodí u Olodí

Casera, muy seria, de respeto, sus hijas tienen que ser casadas legalmente y no admiten tener amantes. No se encarga nada más que de cosas serias y enfermedades. No se puede contar con ella para sinvergüencerías. Hay que ponerle un costurero, pues como mujer de su casa se entretiene en coser.

Los atributos de Oshún Olodí –la mayor, la del fondo del río, sorda como Oshún Tinibú Akuara y pasa la vida tejiendo– son: una *okundia* (sirena) una estrella, sol, cinco *aberes* (agujas), cinco carreteles de hilo, una *ofá* (flecha) y un machete porque es muy valiente y va a la guerra. Su *goricha* o sopera se cubre con un pedazo de jamo. La flecha también es un atributo de Yeyé Kari, la Oshún que caza y es amante de Ochosi.

Como Yumú vive en el fondo del río donde cose y teje rodeada de peces. No es muy bailadora.

Es revolucionaria y le gusta golpear con hierros y machete. La corona lleva corales. Se le pone cencerro, un caballo, un *irofá* con la empuñadura ensartada de cuentas de Orunmila, cinco machetes, una espada, un cesto con tijera, un dedal, hilo, un frontal de venado con dos tarros y una estera polvoreada de *yefá* (polvo de ñame). A la sopera se le pone arena de río y de mar cernida.

Su *oshinshín* se hace de escoba amarga, lechuga, camaroncitos secos y verdolaga, y aunque le gusta la acelga no se le pone porque quisieron envenenarla con ella. Hay que tejerle una maya con plomadas.

La Ololodí vive en una tinaja de fondo blanco con arabescos verdes y rosados. Ella es una *owiwi* (lechuza) y va montada sobre un tablerito de Ifá que a su vez se coloca sobre un tambor cónico de doce pulgadas, lleva *ekuele* y come lechuza para resolver grandes problemas y graves situaciones. Esta Oshún nace en *Ogberoso Untele.* Es guerrera y muy majadera. Sus enemigos no la pueden vencer nunca. Cuando se incomoda con sus hijos o hijas, es muy peligrosa con ellos.

Hay que ponerle muchos hierros y cordeles para reforzarla. Cuando quiere estar en el suelo no se puede levantar del mismo hasta que ella no diga. Con frecuencia hay que sacarla a pasear (a la piedra), se mete en un pañuelo amarillo, se lleva a la tienda, a las calles comerciales principales, donde haya sederías, tiendas de géneros, telas y adornos de mujer. Le gusta mucho el oro. Se le pone, coral, mantón de burato y abanicos de plumas de pavo real. Muchas veces se le pone un pañuelo con cinco puntas.

En este camino ella es mitad mujer y mitad pez. Esa es la razón por la cual no sale del río. Se sienta allí todo el tiempo con una estrella y una media luna para que le de luz mientras teje. Ella también es la cascada del río. Dueña de las represas. Tuvo dos hijos, Oloshe y Paroyé.

La Ololodí es muy sorda. Cuando se le pide un favor tarda en responder. Hay que llamarla fuerte con un *agogó* (campanilla) o con una trompeta en forma de *atití* (cuerno). Con el nombre de *Atití* se le conoce en arará. A esta Oshún, se dice que no le gusta el amarillo y que para que sus hijos alcancen la firmeza en la vida

deben buscar quince parejas de señoritas que se vistan de color rosado y se les baile un vals.

Ochún Ololodí, que viste de amarillo y verde, nos confió una viejita que la adoraba, "fue en una época una mujer de vida alegre. Tenía un perrito, Tobo, que le contó a Olofi sus enredos. Después de rodar con todos los Santos, cuando su perrito la descubrió, Olofi determinó casarla para que se enseriase, y se la dio al viejo Orunmila. Ochún, que le gustaban los perros como a todas las mujeres de la carrera, juró no tener más perro, y ahogó a Tobo en el río". Por ese motivo las hijas de Ochún Ololodí no tienen perro ni adorno que las represente.[1]

Ibú Odoi

El cauce seco. Vive en un pilón, se le pone una palangana con cinco girasoles, se le coloca un cesto de costura, un hacha sencilla, un abanico, un machete y dos *edanes* largos. Su corona se remata por un girasol. Lleva también un ñame, dos remos, un machete, un arco y flecha, un peine, una campana, un espejo, una calabaza, diez manillas, una luna y un bote. Es brujera y hechicera. Cuando a la *iyabó* le sale este camino, desde entonces recibe el nombre de *Ironki.* Los ararás la conocen por *Fosupo.*

[1] Lydia Cabrera: Ob. cit., p. 272.

Ibú Odonki

El río que está empezando o creciendo lleno de fango. Vive encima de un pilón, lleva cesto de costura, una serpiente, una luna, dos edanes largos, un sable. Se introduce en una palangana y se le echa *ashibatá* (tipo de planta). Los ararás la llaman *Tokago.*

Ibú Okuanda

La que le echaron la muerte arriba. Se le ponen diez pomos de miel, diez pedazos de tela blanca. Fue la que liberó a Shangó. Su corona se remata con una cruz, se le cuelgan cinco machetes, cinco hachitas sencillas, diez manillas, un espejo y dos *edanes* largos. Los ararás la llaman *Agokusi.*

Ibú Okuase Odo

El brote de la muerte en el río. Vive en un pilón, se le ponen cinco botellas de agua de ríos distintos. Lleva un cesto de costura, un frontal de venado, un aro de la medida de la cabeza, le cuelgan diez manillas, dos remos largos, dos edanes largos, un ataúd, un sable, dos peinetas, una tinajita, un cuchillo, un bote, un venado, un abanico y dos brochas. En arará se le nombra *Totokusi.*

Oshún Yumú, Oshún Gumí, Bomó o Bumí

Es la más rica de todas y no le gustan las fiestas. Es muy severa, de mucho respeto y está vinculada

con Ogún, de quien se considera es esposa. Es vieja y sorda. Se coloca encima de un pilón de bronce y su fundamento tiene forma de un pez, es de cerámica blanca, y su *otá* presenta características de una piedra de río plana, con forma de corazón, de color amarillo azufrado y porosa. Lleva un hacha de bronce, anzuelo, remos, redes, mucho oro, cosas del cementerio, cinco cornetas, cinco pañuelos de seda, cinco machetes, un caballo blanco llamado *Algueró* y veinticinco manillas con veinticinco cadenas. Es dueña del *aspid*, domadora de la serpiente. Es la Oshún que va al río a buscar agua. Es la moneda de oro, vive donde el río desemboca en el mar. Oshún Yumú es la Oshún bordadora. Teje mantas, jamos y cestos para los pescadores. Se balancea en una "comadrita" en el fondo del río. Gumí está asociada a los muertos, sale del río y maneja la pica y el azadón en *isoku* (el cementerio). Es el espíritu más viejo del río.

Come lo mismo que todas. Se le pone quimbombó como *adimú* a favor de la corriente del río. Muy delicada de tratar. A sus hijos les proporciona suerte en el comercio. Hay quien dice que lleva una corona con 101 piezas de bronce y 101 manillas, y que es muy caminadora.

Ella es la que hace crecer el vientre sin estar preñada. Es la verdadera sorda, muy hermosa. Nace en *Ika Meyi*. Los ararás la conocen como *Tokusi*.

Ibú Seni

Vive en los pequeños pozos negros que quedan a la orilla de los ríos. Lleva dos tinajas cargadas

con Ozain coronadas, a cada una se le pone una piedra del cobre. En arará es *Ajuanyini.*

Ibú Tinibú

Esta Oshún vive junto con *orun* en la tinaja. Nace en el odun *Irete Yero.* Es la dirigente de la sociedad de las iyalodes, su Ozain se monta en un cráneo de cedro que vive dentro de la tinaja. Lleva una cadena de bronce de donde se cuelgan doce piezas que son muy raras, estas se enganchan en la cabeza del chivo cuando este se sacrifica y se coloca la cabeza sobre Oshún. Esta Oshún sale mucho de noche, le gusta pasear bastante en bote. Se le pone un bote de madera de ceiba, el cual lleva cinco pedacitos de imán, cinco caracoles, cinco guacalotes y una flecha, ya que este bote representa la única hermana de esta Oshún que se llama *Oshún Miwa ile koshesha ile bombo.* A la *Tinibú* le gustan mucho los claveles rojos y los perfumes. Sus hijos no pueden tener perros en la casa. Esta Oshún se adora y no se monta.

Ibú Itumú

Se dice que esta Oshún es "marimacho", pues se viste de hombre. Se le pone manteca de corojo y aguardiente delante de la sopera. Es amazona, combate montada en un avestruz en la tierra y en un cocodrilo cuando está en el río. Come los chivos sin capar. Vive en las lagunas y siempre anda con Inle y Asojano. Su corona se remonta con un avestruz y lleva colgada catorce piezas de bronce que son muy raras.

Oshún Yeyé Kari o Yeyé Moro

La más alegre, coqueta y disipada de todas. Se pinta, se mira en el espejo, se perfuma. "Hasta con los muertos coquetea".

Oshún Ade o Ede (Panda)

Es el espíritu de la elegancia, la gran señora y la juiciosa. La lengua de Oshún. Le gusta la música y las fiestas. Es mujer de su hogar. Terriblemente celosa, sus ojos irradian odio y bravura cuando otra orisha intenta conquistar a su marido. Va en una sopera de cerámica blanca, con un muñeco de madera, que tenga los ojos grandes, enmarcados por dos caracoles abiertos o güiro.

Oshún Funké

Sabia, conoce todos los secretos del Universo. Ella es la instructora, la que enseña. Corre por debajo y lo controla todo. Junto a Shangó aprendió los secretos de la hechicería y la adivinación. Su padrino es Orula. Viene de tierra takua.

Oshún Fumiké

Muy buena, relacionada con Obatalá. Le concede hijos a las mujeres estériles. Quiere mu-

cho a los niños. Vive en una sopera blanca de cerámica, pues es el atributo que le concedió Obatalá para dar vida y nacimiento a nuevas personas en la Tierra.

Oshún Miwá

Es el espíritu del carácter del río. El collar de Oshún. Alegre y muy ligera en su conducta. "Ligera de cascos". Por medio de sus riquezas conquistó a Shangó que era su esposo para que le enseñara el arte de adivinar. Tiene como fundamento un *otá* de río bien pulida, redonda, de colores marrones. Sus caracoles son también color marrón oscuro y lleva una llave de oro que le obsequió Eleguá, con la que abre las puertas de la felicidad y de los corazones.

Oshún Kayodé

Es el espíritu de la danza. Es el camino de la Oshún cuyas hijas mantienen una vida licenciosa, de vida alegre. Para invocar su ayuda se le ofrecen cinco yemas de huevo rociadas con canela en un plato blanco. Es muy servicial.

Oshún Niwe (Migwe)

Vive entre los juncos del río. Está muy asociada con Naná Burukú y ambas entretejen cestos y canastos para pescadores. Se simboliza en una imagen de madera, muy oscura, pues su cuerpo siempre está impregnado de barro y lleva los mismos atributos que su amiga.

Oshún Olodó

No reconoce querindangos y rechaza las sinvergüencerías.

Oshún Okuti

Viste de azul añil y rojo, tiene por atributos siete machetes y las veintiún piezas de Ogún.

Sobre las hijas e hijos de Oshún

Las hijas e hijos de Oshún, como todos los hijos de orishas, deben ser muy disciplinados y serios, durante y después de todo el proceso de iniciación en esta manifestación religiosa.

En la actualidad cada vez son más reiteradas y casi sistemáticas las violaciones a los códigos establecidos por la tradición, sin tener en cuenta que muchas veces estas infracciones puede propiciar hasta el costo de la vida.

Una de las más graves infracciones de estos *ipalas* o restricciones, es la que se comete contra la castidad absoluta a la que están obligados los *iyawó* (iniciados) de ambos sexos. Acerca de la rigidez que se observaba en estas reglamentaciones nos informa Lydia Cabrera:

> A juicio de viejas santeras, la infracción más grave, "el peor pecado", es el que se comente contra la castidad absoluta a que están obligados los Iyawó. De sus fatales consecuencias referiremos como ejemplo el caso de una

hija de Yeyé-Ochún. "Era una mulatica bonita, bonita. Pero la pobrecita, desde que estaba en el vientre de su madre era puta. A los diecisiete años se enfermó de una enfermedad muy rara, de esas que no curan los médicos sino el Santo, y Ochún, para salvarla pidió su cabeza. La asentaron y se vio pronto la mejoría. Tenía novio, y como es natural se distanciaron. No, no es que se pelearan, sino que las Iyawó no pueden andar muy de cerca con novios y enamorados para evitar, el demonio son las cosas. Para eso tiene que esperar. Cuando ya han hecho el *ebó* del año, ya pueden hacer lo que gusten, pero con decencia. Esta mulatica llamada Eudosia, que era de condición caliente, no tuvo carácter para aguantarse (...) el novio pasaba por la casa, la saludaba y seguía de largo, pero una tarde estando sola, apareció el novio y parece que se olvidó que Eudosia era Iyawó. Ella se descuidó y se besuquearon detrás de la puerta. ¡Adiós Tiberio! Para qué fue eso. Una hora después Eudosia con convulsiones, soltando espuma por la boca. A buscar a la Madrina, a hacer rogaciones y todos los Santos se volvieron de espaldas. Eudosia no vio el sol de la mañana.

¡Tú la mataste! Le decían al novio, porque él habló y parece que había habido más que besuqueo. Al cumplirse el año del Asiento de Eudosia ¿puede usted creer que este murió de un cólico? Lo mató Ochún, que ataca por el vientre".[1]

[1] Lydia Cabrera: Ob. cit., p. 230.

Nombres de hijos de Oshún

Ibú Akuara
Ibú Apotó
Ibú Arde Ni Ardéi
Ibú Coralí
Ibú Eselgan: Arpón y malla de pescar.
Ibú Guanillé
Ibú Ki
Ibú Koda
Ibú Lai
Ibú Oladi
Ibú Olodo omi
Ibú Olomide
Ibú Oloseunde
Ibú Oni Ola
Ibú Titiagu
Ibú Yarelale
Ibú Yumo
Odoro
Okanille: Sonido del corazón.
Oñí Oloru: La miel olorosa.
Oshún Ade aye: La corona del mundo.
Oshún Aina
Oshún Amoremi
Oshún Arike
Oshún Atelewá: "Nuestro descendiente de Oshún". Pudiera ser también *atelewó*: el plato de comer.
Oshún Atileke
Oshún Atilewa
Oshún Ayini
Oshún Beleyé
Oshún Bi Naná
Oshún Blé
Oshún Dere

Oshún Di
Oshún Don
Oshún Elere
Oshún Fumike
Oshún Galayé
Oshún Garela
Oshún Gayedé
Oshún Guaide
Oshún Guamí
Oshún Guera: Muñeca.
Oshún Gumí: La bordadora.
Oshún Guñe
Oshún Ilari
Oshún Iñare
Oshún Iyala mi
Oshún Kalade
Oshún Kantomi
Oshún Kere
Oshún Kolordó
Oshún Korá
Oshún Ladé
Oshún Larí: De importancia, de valor.
Oshún Letí: Las orejas de Oshún.
Oshún Lokiki
Oshún Loya
Oshún Milari: Mi calle de Oshún.
Oshún Mopeo: "Oshún, no tardes en venir" al *güemilere*, la fiesta.
Oshún Morinqueye
Oshún Na Owo Pipo: Oshún gasta mucho dinero.
Oshún Niké: "El mimado de Oshún".
Oshún Nike: La mimada.
Oshún Obailú Chemí Loyá: Nombre y nacimiento de Oshún.
Oshún Okantomi: De *okán*, corazón. Desde el corazón de Oshún.

Oshún Oñí Osún: La miel de Oshún.
Oshún Oreladi
Oshún Otán Bomí: "Mi piedra de Oshún". La piedra de Oshún se encuentra en el río.
Oshún Rai
Oshún Sele
Oshún Shinde
Oshún Soíno: "El nacido del vientre del manantial".
Oshún Teki
Oshún Tinibú
Oshún Titiguá
Oshún Titilai
Oshún Toki Funké
Oshún Toko: La canoa de Oshún.
Oshún Tolá
Oshún Tuyu
Oshún We
Oshún Were: "La pequeña Oshún" o "la revoltosa Oshún". Él o la muñeca de Oshún. El *Were* es el niño que carga la Santísima Caridad del Cobre.
Oshún Yari
Oshún Yemi Yemi
Oshún Yemi Yyemi
Tinó Tinó
Yeyeo Fumi Loro

Patakines, mitos y leyendas[1]

El nacimiento de una lágrima

Yo tenía una abuela que me contaba muchas cosas de Oshún y me decía de cómo había que defenderla, porque la gente hablaba boberías sin conocerla y siempre la ponían como una santa puta cuando en verdad era una virgen santa, según mi abuela.

Mi abuela me contaba muchas cosas de Oshún, de sus virtudes y defectos que eran menos que los primeros, de sus sacrificios y dolores, de cómo quiere y defiende a sus hijos.

Una vez mi abuela me dijo que Oshún nació de una lágrima que cayó en un río. Que un día Olofin bajó del cielo y se puso a andar por la tierra en busca de lo que había creado. Olofin todo lo recorrió y todo lo que encontró no fue más que maravillas: los árboles, las frutas, las plantas, las aves, los animales, el río, el mar, los peces, las flores, las montañas, el tiempo y un

[1] Los nombres de los orishas pueden variar en dependencia del patakín en que se narre (*N. de la E.*).

tremendo olor a humanidad por venir. Todo era felicidad.

Dice mi abuela que Olofin vio pasar una bandada de palomas y les gritó: "Adiós palomas mías que felices vuelan". "Así es señor del otro mundo, aquí todos somos felices, pero nuestra única preocupación es la humanidad que está por llegar", respondieron las palomas.

También dice mi abuela, que Olofin siguió su ruta y al llegar a la orilla de un río allí se sentó a llorar por lo que había escuchado. Tanto lloró el viejo Olofin que el río creció, naciendo así la Venus lukumí.

De cuando Oshún bajó a la Tierra

Mi abuela me contaba cosas que a veces no tenían ni pie ni cabeza. De las cosas que me contó, recuerdo que un día Obatalá después de haberle dado forma a los seres humanos le preguntó a Olofin:

—Padre, ¿cuál será el destino de los hombres en la Tierra?

—La esclavitud, le respondió Olofin.

Obatalá muy preocupado por la respuesta del padre fue inmediatamente a ver a Orula, el dios de la adivinación.

—Orula, papá dice que el destino de los humanos será la esclavitud y yo no hice al hombre para eso.

—Que el destino sea la esclavitud no quiere decir que no se pueda cambiar.

Dice mi abuela que respondió Orula muy preocupado por la inquietud de Obatalá. Embargado

por la duda, Orula entonces decidió consultar el tablero de adivinación y salió el odu *Oshé Meyi*, donde dice que nació la esclavitud. Obatalá se horrorizó.

Oshún, que lo observaba todo, al ver aquello salió corriendo donde su padre y le dijo muy afligida: "Padre, si la esclavitud es el destino de los hombres en la Tierra yo no me quedo en *orun*, me voy con ellos".

Fue así que entonces todos los orishas quisieron acompañarla y bajaron con ella. Por eso dicen que Oshún llegó con los esclavos a la Tierra.

De cuando salvó a la humanidad

Este cuento no me lo contó mi abuela, pero sí un viejo lukumí que conocí. Me dijo tatá Genaro –así se llamaba el lukumí–, que había una vez en que el hambre y la miseria reinaban en la Tierra y no había nada para sembrar ni recoger. La gente moría sin tiempo ni para hablar. Solo en el palacio de Olofin había abundancia, pero nadie, nadie tenía acceso a aquel lugar.

Oshún, por esas cosas de la casualidad, pudo cocinar unos bollitos y rociándolos con su miel cogió cinco carretes de hilo, varias agujas y una cesta saliendo en busca del palacio de Olofin. El palacio era infranqueable, pues se encontraba rodeado de guardias.

—Tun, Tun—, tocó a la puerta Oshún.

—¿Quién es?—, preguntó un soldado que cuidaba una de las puertas del palacio.

—Ábreme la puerta soldado que vengo a traerte unos pastelitos—, respondió Oshún.

Dice tatá Genaro que el soldado al escuchar aquella voz melódica y zalamera no demoró en abrir la puerta. Oshún, observándolo de arriba abajo, le dijo mientras le ofrecía un racimo de bollito.

—Tienes la ropa rasgada, ¿quieres que te la cosa?

El soldado vanidoso y presumido la dejó entrar. Terminado el remiendo, Oshún le pidió que le permitiese proseguir para ver a un soldadito y entregarle un mensaje de su mujer.

—A mujer como usted nada se le puede negar—, dijo el soldado mientras le permitió continuar.

Al llegar a la puerta de las habitaciones de Olofin, Oshún se encontró con otros guardianes.

—¡Detente mujer impertinente!—, gritó uno de los soldados.

Pero los bollitos de Oshún olían a mermelada, y ella coqueta y servicial pronto se puso a distribuir la mercancía que llevaba. Los soldados se arrebataron y se dispusieron a disfrutar de aquel delicioso manjar, ese momento lo aprovechó la reina de la dulzura para introducirse en la habitación de Olofin.

—¿Y tú qué haces aquí?—, preguntó el rey asombrado.

—Padre, mientras tú aquí tienes de todo, tus hijos no tienen nada.

Dice el viejo lukumí que a partir de aquel instante fue que Olofin se enteró de la miseria en la Tierra y gracias al mensaje de Oshún la humanidad se salvó.

De cuando Oshún bajó a Shangó de la ceiba

Dicen que una vez Shangó andaba por los caminos y de pronto se adentró en el monte, que de repente se quedó asombrado al ver a una bella mujer labrando un campo de piedras y de hierbas altas.

—¿Quieres que te ayude?—, dijo Shangó mientras intentaba apoderarse del azadón.

Ella se negó, pero cansada como estaba se decidió a descansar bajo la sombra de un framboyán. Allí ambos sostuvieron una charla tan larga y tan amena que terminaron por enamorarse. Ella le dijo que era casada y él le dijo que era soltero. Shangó no sabía quién era aquella mujer y cuando supo de quién se trataba, decidió que ambos debían huir.

Lo primero que hizo Shangó fue disfrazar su casa para que Ogún, el marido de Oyá, no la encontrara.

Dicen que Ogún vagó y vagó en busca de su mujer sin encontrarla en lugar alguno. Cansado de deambular llegó a casa de Olofin en busca de un buen consejo.

—Mujer que deja al marido por razón muy seria es. Si Oyá se fue con Shangó la culpa es tuya. El que tenga mujer que la cuide—, dijo Olofin sin levantar la cabeza.

—Papá, usted como siempre defendiendo a su elegido, dígame dónde están por favor—, gritó Ogún enardecido.

—No se le grita a un anciano. Búscalos tú si quieres.

—Usted lo que quiere es guerra.

Y Ogún, soberbio e impulsivo como era le hizo la guerra a Olofin. La conflagración fue sangrienta.

Cuando Olofin se percató de que él solo no podía con las fuerzas de Ogún, mandó a buscar a Eleguá y le dijo: "Búscame a Shangó donde quiera que se encuentre y tráelo a mi presencia".

Eleguá salió en busca del orisha, sabía dónde encontrarlo pues conocía de su casa, pero por más que la buscaba no la encontraba. De momento se encontró frente a una ceiba y se dió cuenta:

—Abre la puerta Shangó, traigo un encargo de Olofin.

—¿A qué vienes a mi casa?—, preguntó Shangó.

—Olofin te necesita.

Shangó abrió la puerta y Eleguá explicó en detalles la situación del reino. Después de meditar por un instante Shangó decidió salir y reunirse con Olofin.

—Por tu culpa y todas tus travesuras, mira cómo me encuentro. Ogún me está haciendo la guerra y cada día pierdo más guerreros. Si aún conservas un poco de respeto y de vergüenza en tu sangre devuélvele a esa mujer y finalizará la guerra—, dijo Olofin.

—Pero señor, cómo rendirme a los caprichos de Ogún. Oyá me pertenece y no la abandono por nadie.

—Shangó, el reino está en peligro.

—¡No cambio a mi mujer por un reino!—, gritó Shangó.

Olofin, no podía dar crédito a lo que escuchaba, con un gesto de violencia y de indignación se levantó del suelo y expulsó a Shangó con los peores improperios.

Jamás en su vida Shangó había sido víctima de tan terribles insultos, y nada menos que provenientes de Olofin y en presencia de los demás orishas. La humillación era muy grande, por lo que decidió retirarse y refugiarse para siempre en lo alto de una ceiba.

Ogún iba ganando cada vez más la guerra y cada vez era peor la situación para las huestes de Olofin. Los orishas estaban alarmados. Algo había que hacer. Faltaba el mejor de los guerreros.

Eleguá hizo un nuevo intento para persuadir a Shangó, pero sus esfuerzos fueron en vano.

A convencerlo fueron el viejo Obatalá y Yemayá, Dadá y las mujeres más bellas, pero Shangó no bajaba.

Una hija de Olofin, la más joven y bella, estaba cada vez más preocupada con el desarrollo de los acontecimientos, una tarde se acercó a su padre suplicándole humildemente:

—Padre, déjeme ir que yo bajaré a esa cabeza dura de lo alto de la ceiba.

Olofin agotado la autorizó. Oshún partió rauda y veloz, toda elegante, con su vestido amarillo y sus manillas doradas, resumía dulzura por todos sus poros. Al llegar al lugar donde se refugiaba el dueño del rayo y del trueno, comenzó a bailar alrededor de la ceiba. Shangó, orgulloso y vanidoso se hacía el que no veía. Oshún continuó danzando y cantando mientras se reía y a la vez se desnudaba. El dueño del tambor no pudo resistir lo que sentía, bajó desesperado

tratando de poseer a la seductora mujer, pero esta, serena y muerta de la risa, le espetó al oído: "Si quieres ser mi *okuní* tienes que ayudar a Olofin".

Y así fue cómo Shangó se unió al ejército de Olofin y en un día derrotaron al rey de los guerreros, y volvió la calma al pueblo.

De cuando Oshún sacó a Ogún del monte

Mira que se han dicho cosas de los africanos, que si fue así, que si fue asao, que si frito fue, que mal si cocinó. Ahora resulta que Shangó estaba loco por vengarse de Ogún, por lo que este le había hecho a su madre.

La mejor venganza consistía en conquistar a su mujer y así se lo propuso. De este camino se han dicho muchas cosas.

Dicen que Shangó, con el encanto que tenía de hablar y de bailar bonito, pronto logró enamorar a la mujer de Ogún, quien al perder a su mujer decidió abandonar la herrería e internarse en el monte.

Atormentado como estaba el herrero, previendo que lo fueran a buscar, preparó trampas y abrió huecos por todas partes. El que se atrevía a entrar en el monte perecía.

Pasaron los días y los días y el pueblo sin viandas ni vegetales, sin un minúsculo ñame para comer. Nadie podía internarse en el campo porque el que lo intentaba perecía en el intento, colgado por una trampa, atravesado por una flecha o enterrado en un hueco.

No había ni un animal que comer, porque no había armas para cazar, el dueño de la herrería estaba en el monte y no se podía contar con sus hierros.

Dicen que Ogún de vez en cuando se asomaba, pero del monte no salía, no se sabe si porque estaba abochornado por la traición de su mujer o porque no quería saber de otras.

Oshún, que de todo se enteraba, pronto conoció de este hecho y de la situación imperante, por lo que se decidió a actuar en beneficio de su pueblo.

La *obiní dara* (mujer bonita, seductora, graciosa) se amarró cinco pañuelos en la cintura, llenó una jícara de *oñí* y con su abanico se fue al monte.

Iba Oshún por un camino cuando sintió unos ojos que la desnudaban, al volver la vista atrás se encontró con una figura humana que la contemplaba. Era Ogún el herrero guerrero.

Oshún le pidió que le permitiera entrar al monte y conversar, pero Ogún se negó. Le dijo que no quería saber de mujer alguna y que si ella se atrevía a penetrar en sus dominios de seguro saldría de allí sin cabeza. Oshún soltó una carcajada y comenzó a danzar y cantar mientras movía su cintura y derramaba miel a cada paso.

Ogún al ver aquello se le fue acercando. Oshún continuó bailando, bailando y sus carcajadas retumbaban en la manigua. El herrero se fue aproximando cada vez más, hubo un momento en que la orisha se despojó de parte de su ropa. Los ojos de Ogún quisieron estallar al ver los senos de aquella mujer que parecían dos güiras de carne encendida. Oshún siguió en su danza mientras se desvestía toda. El herrero no pudo resistir más y corrió y corrió detrás de la

diosa de la dulzura, y así fue alejándose del monte. A partir de aquel instante retornó la felicidad al pueblo.

Oshún y la codorniz

Un patakín narra la historia de Oshún y la codorniz. Está escrito que viviendo Ogún con Oshún, al regresar del trabajo algo llamó su atención.

—¿Aquí no ha estado nadie?—, preguntó Ogún intrigado a su esposa.

—No, y dime ¿por qué preguntas?—, respondió Oshún con mala cara.

—Porque la cama no está como la dejé.

Ogún hacía la pregunta porque desde cierto tiempo atrás albergaba algunas dudas sobre la conducta de su mujer. Pero el caso es que Oshún tenía una codorniz que le avisaba cuando Ogún regresaba por el camino.

A los pocos días del citado incidente, Ogún volvió a notar lo mismo en la cama, pero esta vez se calló la boca y fue a casa de Orunmila por adivinación. En el *osode* le salió el odun *Iká, Fefé* y Orunmila le dijo: "Hay una persona que no es legal con usted y para que pueda desenmascararla tienes que hacer rogación con *aya keke* (un perrito), *eran malú* (carne de res), *ekú, eyá* y demás ingredientes". Cuando Orunmila le hizo el *ebó*, le dijo: "Ve a botar esto a su destino y después durante cuatro días tienes que traerle comida al perrito, para que se encariñe contigo".

Todos los días bien temprano Ogún le llevaba su comida al perrito y al cuarto día se lo llevó. De regreso a la casa ambos iban retozando por el camino y la codorniz al divisarlos desde lejos, no lograba distinguirlos bien. Unas veces le parecía ver a Ogún, pero como este se agachaba para jugar con el perrito, a la codorniz le parecía que era otra persona, y así Ogún avanzaba por el camino.

La codorniz confundida se decía: aquel que viene por el camino es Ogún, al instante se repetía: ese no es Ogún, pues él no acostumbra a jugar con los perros. Ahora me luce más grande. Ahora me parece más chiquitico. En ese divagar la codorniz se entretuvo y cuando vino a darse cuenta ya el perrito estaba encima de ella. Para evitar que este la mordiera se vio obligada a alzar el vuelo sin avisarle a su dueña.

Oshún, que se encontraba en la cama con su amante, tuvo que salir huyendo por la ventana y fue así como Ogún descubrió lo que quería saber. A partir de aquel entonces Oshún renunció a la codorniz por sentirse traicionada.

De cuando Oshún contribuyó a despertar a Orula

Esta es una leyenda que una vez escuché y en ella se explica el rezo que hay que hacerle todos los días a Orula.

Según contó un babalawo, en la tierra Iyesa vivía Oshún y un día en que fue a visitar a su amiga Yeyé Matero en la tierra Ifé esta le contó de un problema que tenía. El caso era que su esposo Orunmila tenía un secretario que no lo

despertaba como debía; en vez de llamarlo lo tocaba, lo que traía como consecuencia que su esposo todas las mañanas despertara sobresaltado.

—A un sabio no se le despierta con susto. Yo te voy a ayudar a resolver el asunto—, dijo Oshún.

Al día siguiente, Oshún de regreso a su tierra, mandó a buscar a un *awó* (babalawo) amigo suyo llamado Ogbe Dí. Este tenía fama de ser serio y responsable. Al llegar a la casa de la *iyalorde* esta le dijo: "En la tierra Ifé se encuentra viviendo el más sabio de todos los sabios, quien tiene un secretario llamado Ogbe Sa y no sabe despertarlo, vete allá y serás tú quien lo despiertes".

Oshún le enseñó a Ogbe Dí el rezo para despertar a Orula y le dijo que cuando él llegara a casa de este, Ogún lo estaría esperando para garantizar el cumplimiento de sus palabras.

Antes de las seis de la mañana del día siguiente llegó Ogbe Dí a la casa de Orula donde lo recibió Yeyé Matero, quien al verlo le preguntó si era él la persona enviada por Oshún.

—Así es señora y a partir de ahora, vengo a despertar a Orula todos los días—, respondió Ogbe Dí.

Yeyé Matero observó detenidamente al enviado y confiada lo condujo hasta donde dormía Orula. Ogbe Dí se arrodilló y tocando su cabeza con el suelo comenzó a realizar el rezo que le enseñó Oshún.

Orula despertó sosegadamente y en ese mismo instante tocaron a la puerta, eran Oshún y

Ogún. Orula exclamó: "Iboru, Iboya, Ibosheshe ¿quién es este joven que sabe tanto?". Yeyé Matero le respondió: "Es el *awó* Ogbe Dí de la tierra Iyesa y desde hoy reemplazará a Ogbe Sa en la tarea de despertarte".

Desde entonces Ogbe Dí es *awó* grande y sabio, y el encargado de despertar a Orula todas las mañanas.

Es debido a esto que todos los días los sacerdotes de Ifá deben despertar a Orula diciendo el rezo de Ogbe Dí.

Ogbe Dí kaká
Ogbe Dí lelé
Adifafun Oshún
Adifafun Obiní.

Sobre las relaciones de Oshún con Shangó

De las relaciones de Oshún con Shangó mucho se ha dicho y redicho, que si era su esposa o amante, que si fue el hombre de su vida, que si sufrió o no sufrió, que si tuvieron hijos o no tuvieron.

Rómulo Lachatañeré al referirse a este tema señala:

> Ochún, que aparece como una deidad propiciadora del amor, es la amante –no la esposa legítima– de Shangó, que lo acompaña en todas sus vicisitudes cuando estas, que no están eximidas de presentarse en la vida heroica y triunfal de los santos, lo acechan; y además, porque posee los resortes para controlar el amor a su capricho, se convierte en complaciente consejera de las demás deidades y

les regala de sus fórmulas para traer el amor de los amantes esquivos. Desde luego ella, como Shangó, es una mujer casada legítimamente, que ha de entrar en conflicto con su esposo. No a causa de un vulgar triángulo amoroso, sino porque Orúmbila, el marido, es hombre viejo, y preocupado en su oficio de Babalawo, cosas, la una, que le impiden satisfacer las ansias de Ochún, moza joven y de grandes impulsos sexuales y, la otra, porque su oficio le roba el tiempo que podía emplear recreándose con la mujer. No obstante su profundo amor por Shangó, Ochún se entrega con frecuencia ilimitada a Ogún, "porque ella es una mujer que suele irse de parranda" unas veces por puro capricho de mujer, otras por llenar un fin elevado en la vida, es decir, por sacrificio.[2]

De los tantos cuentos que se han narrado sobre esto, voy a contarles lo que me han contado algunos viejos que saben de estas cosas.

Dicen que hubo una época en que Oyá era la mujer de Shangó. Celosa y caprichosa como era, un día decidió encerrar a Shangó para siempre. Con este fin Oyá fue a ver a Ikú a quien confió su maléfico plan. Ikú, malévolo y envidioso, aceptó regocijado la propuesta que se le hacía: pararse frente a la puerta donde se encerraba a Shangó y no dejarlo salir. El rey del tambor y de la rumba, de los rayos y los truenos le tenía pánico a Ikú.

Una noche el rey del Añá, escuchó como estos sonaban y alborotado trató de salir, pero Ikú

[2] Rómulo Lachatañeré: *El sistema religioso de los afrocubanos*, p. 390.

con un silbido se lo impidió. Shangó temblaba cuando Ikú silbaba.

Pasaba el tiempo y ya los tamboreros no lucían como antes, las fiestas perdían sus encantos. Sin Shangó no había *wemilere* (fiesta). La gente empezó a quejarse y los tamboreros a dejar de tocar. Los ancianos se reunieron y discutieron. Alguien tenía que ir a rescatar al rey del tambor.

De pronto todos miraron para Oshún que tejía a la orilla del río. La diosa no se hizo rogar, además, desde hacía mucho tiempo todo su pensamiento estaba puesto en aquel hombre del traje rojo y bailarín por excelencia.

Llena de ilusión y contentura se fue a la casa de Oyá con su miel y su aguardiente. También llevó consigo sus pañuelos, su abanico y una buena carga de cascarilla.

Llegando estaba donde el rey se hallaba prisionero, cuando Oshún se encontró con Ikú.

—¿Y tú qué haces por aquí?—, le preguntó haciéndose la que desconocía lo que acontecía.

Ikú, arrogante y paluchera le comentó su tarea. La dueña de la dulzura contorneándose con su vestido amarillo le dijo a la muerte:

—Por qué mientras esperas no organizamos un buen fiestón solo tú y yo.

Fue así que comieron, disfrutaron y bebieron aguardiente. Oshún bailó con Ikú (que era del género masculino), lo apretó a su cintura, lo movió y lo sacudió, y este terminó borracho.

—¿Qué pasa contigo Ikú, ya no puedes ni caminar?—. Y la Ikú no contestaba, de lo borracho que estaba.

La dueña del río entró encantada al *ilé* donde aguardaba Shangó y lo encontró temblando de miedo.

—Kabo anímate—, le dijo mientras lo embarraba con cascarilla de pies a cabeza.

Fue entonces cuando Shangó reaccionó y se escapó con su salvadora. Cuentan las malas lenguas que después que Oshún liberó a Shangó lo quiso conquistar por el camino, pero este se negó.

Oshún amarra a Shangó

Uno de los patakines de Ifá, narra que en la tierra Osushe vivía Oshún, mujer perdidamente enamorada de Olufina Akakomasia, el cual era un hombre reconocido por su prestancia de mujeriego y adivino, pero más famoso aún por la falta de constancia que tenía en sus relaciones con las *obiní* (mujeres).

Oshún hizo mil malabares para lograr que su *okó* (marido) fuese solo de ella, pero por más que lo intentaba nada lograba. Shangó montado en su caballo blanco, nombrado Shebe Shintilu, se iba para otras tierras a formar su *wemilere* y en busca de otras mujeres.

Un día Oshún cansada de la inestabilidad en su matrimonio se fue a ver al babalawo de aquella tierra, nombrado Ifá She Mi. En el proceso de la consulta salió el odun *Oyekun Bara* donde había que hacer un trabajo con Ozain. Hecho el *ebó*, Oshún se dispuso a esperar por el regreso de Olufina. Cuando menos lo esperaba se apareció este montado en su caballo blanco y cantando

por el camino: *Kaowo kaowo moforibale Kenñalado titi la eyo akualado Oshún, titi la eyo* (...).

Shangó que venía sediento, pronto le pidió algo de beber a su *obiní*. Fue ese el momento que Oshún aprovechó para ofrecerle a su marido una copa con la bebida preparada.

Shangó siempre que regresaba de sus correrías tenía *ofikale trupón* (relaciones sexuales) con Oshún y luego se retiraba de nuevo a sus andanzas, cabalgando sobre su caballo. Pero desde que bebió aquel brebaje se quedó para siempre con la diosa del girasol.

Otra versión del casamiento de Oshún con Shangó

Cuenta una leyenda que cierta vez había un hombre de raza negra que decía todo lo que pensaba. Dicen que este hombre se buscó miles de problemas por expresar sus sentimientos, inclusive algunas ideas contra el propio rey del pueblo.

Enterado, el rey un día ordenó que arrestaran a aquel sujeto y lo llevaran a su presencia. Dicen que al soberano no le disgustó tanto lo que decía sino la forma en que lo hacía. Por tal motivo fue conducido a una celda, pendiente de un tribunal.

Narra la leyenda que el rey tenía una hija muy linda y que ella una noche se acostó soñando con el reo. Durante el sueño un muerto le dijo: "Ve y salva a ese hombre que te hará feliz".

Al día siguiente la princesa fue a hablar con su padre y le contó lo sucedido y le agregó: "Padre mío, yo tengo que salvar a ese hombre y te prometo curarlo de sus defectos". La princesa tanto habló y le suplicó, que pronto convenció

al rey para que le permitiese la custodia del reo. Ella iba todos los días a su celda y le daba clases y le impartía consejos.

Pasó el tiempo y, entre charla, y charla la muchacha se fue enamorando.

Así estaban las cosas, cuando la princesa un día fue a ver al rey y le dijo:

—Padre ya el hombre está bien curado de los defectos que tenía.

—Muy bien hija mía, entonces que Olofi te bendiga.

—No padre, bendígame usted concediéndome el matrimonio.

—¿Matrimonio? ¿Quién será el privilegiado?

La princesa, que era nada menos que Oshún, le dijo a su padre Obatalá de quién se trataba. Fue así que Oshún logró casarse y todo el pueblo lo festejó, y llegaron a ser ambos muy felices.

La ceremonia del río

Entre los patakines sobre Oshún, hay uno que relata el porqué todas las ceremonias en yoruba o lukumí comienzan en el río. Según este patakín, Oshún vivía con Shangó en la tierra Ñoñú Ñoñú, pero este siempre se iba de viaje para conocer otros mundos. En uno de esos viajes Shangó demoró mucho tiempo y Oshún parió a dos *omó kekere* (hijos) llamados Taewo y Kainde.

Los habitantes de aquel pueblo que nunca habían visto a una mujer parir jimaguas, comenzaron a murmurar que Oshún había engañado a Shangó.

Un día, Oshún cansada de tanto *lepe, lepe* (habladuría) formado, llevó a sus dos hijos a un malangar y allí los tapó con *ewe ikoko* (tipo de yerba) y se fue a consultar con Orunmila, quien le habló de la lengua y la calumnia. Después de hacerle una rogación de cabeza (limpieza), Orula la mandó a ver a Olofin.

El padre de todos los orishas le dijo: "Pariste dos niños y me dices que los dejaste bajo la *ewe ikoko*. Los hijos que tuviste: Taewo y Kainde ya no los busques que Oyá se los llevó. Ahora tendrás otro hijo y se llamará Idowu. Pero para parirlo tienes que ir al río y hacer una ceremonia diciendo: 'Idowu Onido Edun Omo, Edén Omo Obayi Wayo Edun Yosi, Edén Gbogbo'". Oshún hizo lo que le dijo Olofin y así dio a luz su tercer hijo.

A los pocos días Olofin convocó a toda la gente del pueblo y a Shangó, y les dijo: "Ahora todos ustedes van a aprender por insidiosos y calumniadores, y tú Shangó también aprenderás por hacerle caso a la lengua. A partir de ahora todas las mujeres podrán parir jimaguas y también trillizos, y no por ello habrá infidelidad, como no la hubo en Oshún hacia Shangó. Para nacer *omorisha*, tendrá que haber *ewe ikoko* para tapar todo el *arayé oguede*, para que se sepa que Shangó reconoce ese nacimiento, y llevar a *omorisha keke* a bañarlo en el río, para que Oshún e Idowu reconozcan que nace un nuevo *omorisha* y se lava todo lo malo que tuvo antes de nacer". Y así fue desde entonces.

La incompatibilidad entre Oshún y Yewá

Yewá, dechado de pureza, halló en el bosque una niña perdida, la recogió y la llevó consigo para

cuidarla. Oshún lo supo y la calumnió. ¡Yewá no es virgen!, aseguraba Oshún, ¡Yewá no es virgen!

Llegó a oídos de Yewá aquella infamia y fue a quejarse a Olofi, quien le dijo que se marchara tranquila, que la niña encontraría a su verdadera madre y la verdad resplandecería. De regreso a su *ilé* (casa), Yewá halló en ella a Yemayá, quien le dijo: "Yo soy la madre de esa niña que se extravió en el monte y tú recogiste".

Yewá le contó la calumnia lanzada por Oshún, y Yemayá la llevó a Ifá que le hizo *ebó* con una lengua de pato, una lengua de res y una lengua de gallo. Luego, con la cabeza muy alta, Yewá paseó por todo el pueblo con la niña y Yemayá, que proclamaba que aquella niña era su hija y que Yewá era virgen. Ya todo aclarado y resplandeciente su proverbial castidad, Yewá se trasladó a Egbado, "la tierra que adora tanto a Obatalá".

Este es el origen de la incompatibilidad de estas dos diosas. El cesto o la tinaja en que –"entre nácares y cauris"– se adora a Yewá, la severa diosa de la muerte, ha de estar apartado del *otán*, la piedra en que se le rinde culto a Oshún. Cuando una *iyawó* recibe a Yewá no puede hallarse presente en el *igbodú* o "cuarto de los santos" en que tienen lugar la ceremonia, un *omó* Shangó ni un *omó* Oshún.

Oshún y el owó

Cuando la Venus lukumí bajó a la Tierra se sintió muy defraudada porque unos tenían mucho y otros no tenían nada. El mundo estaba perdido. La gente se atormentaba por tanta inseguridad.

El amor y el interés mezquino estaban comprometidos. No había sentimiento alguno que no estuviese influido por la envidia y la maldad. La pobreza y la riqueza reinaban de la mano por todas partes.

Oshún no sabía qué hacer y caminó y caminó, y mientras más caminaba más miseria se encontraba. De pronto pensó en cómo encontrar una solución a tan trágica situación y determinó distribuir su dinero entre los pobres. Todos los necesitados que resultaron favorecidos fueron al mercado a comprar ropa y comida.

Los mercaderes, asombrados por la bondad de aquella mujer y desconfiados de aquel dinero aparecido misteriosamente no tardaron en preocuparse por la validez del mismo. Rápido se pusieron de acuerdo y fueron a ver a Olofi.

—Majestad por ahí anda una mujer repartiendo un dinero mal habido.

Olofi, irritado le dijo a los mercaderes:

—Márchense de mi presencia malagradecidos. El dinero en el mundo lo encontramos y en el mundo lo dejamos. A partir de ahora Oshún será la dueña del *owó* (dinero).

Y a partir de ese momento declaró como válida la moneda de Oshún. Es por ello que según la tradición yoruba, Oshún es la dueña del *owó*.

Hay otra historia sobre el *owó* según la cual había una vez un palacio de oro donde residía Orula. Dicen que era muy bello, imagínense era de oro. El caso es que el orisha siempre estaba enfermo y ni el *ekuele*, ni el *tablero* lo salvaban. Cuando no era un dolor por aquí, era un dolor por allá.

Al anciano Orula lo abatía la enfermedad de la vejez. No muy lejos del lugar, Oshún vivía en una casa de plata. Cuentan que un día Obatalá fue a visitar a Orula y le dijo: "Venga acá viejo, por qué usted no cambia su palacio por la casa de Oshún, tal vez cambiando de ambiente usted mejore". Dicen que el anciano, a quien la sabiduría ya le comenzaba a fallar, se negó a cambiar su palacio de oro.

Pasó el tiempo y siguieron los achaques y Obatalá volvió a insistir: "Mire Babá, usted siempre ha dicho que la tozudez no lleva por buen camino, hágame caso". Y Orula, padre de los consejos, escuchó el de Obatalá y después de hablar con Oshún cambió de residencia, y así la orisha se fue a vivir al palacio de oro y a partir de aquel momento se hizo la dueña del oro, la dueña del dinero, la dueña del *owó*.

La calabaza y Oshún

Una vez, en algún texto, leí que Oshún tenía un huerto de calabazas tan hermosas y tan nutridas que apenas se podía transitar por él.

Las calabazas crecían robustas y hermosas gracias al cuidado que Oshún les prodigaba. Ellas se sentían maravilladas de tener una dueña tan noble y tan bondadosa.

Pero un día ocurrió lo que nunca falta en la vida: la envidia, esa mala hierba que siempre brota allí donde hay prosperidad, dejó ver su feo rostro entre el manto de calabazas.

En cierta ocasión una calabaza comenzó a crecer y a ponerse hermosa de modo inusitado, hasta el punto de sobresalir por encima de las

otras. Oshún, al observarla tan hermosa, comenzó a verla distinta a las demás y a prestarle atención especial. Las otras calabazas celosas juraron confabularse en contra de la advenediza.

Una noche de luna llena se acercaron sigilosamente a aquella que gozaba de tantos beneficios y comenzaron a golpearla furiosamente a la vez que decían:

—Intrusa, te mataremos, por tu culpa Oshún ya no nos quiere, te arrepentirás de lo que eres.

—¡Guí, guí, guí!—, gritaba la calabaza indefensa.

La infeliz calabaza logró escapar, corriendo velozmente llegó a la casa de Oshún y golpeó desesperadamente la puerta.

—¿Qué golpes son esos?—, preguntó Orúmbila, marido de Oshún.

—Deja ver quién es—, dijo la mujer, y fue a abrir la puerta.

La calabaza adolorida y magullada le dijo:

—Por favor, señora, deme albergue en su cobija que mis otras compañeras me quieren asesinar.

—Pero, ¿qué dice mi preferida?

—Eso mismo, eso mismo, por ser su preferida la envidia las ha cegado y quieren acabar conmigo.

Oshún visiblemente irritada le dijo:

—No te preocupes, mañana será otro día—, y la dejó entrar a su casa disponiendo que durmiera en su cama entre ella y su marido.

A media noche Orúmbila le dijo a la calabaza herida:

—Vete a dormir a otra parte, que quiero dormir tranquilo.

La calabaza sintiéndose ofendida se acomodó debajo de la cama del matrimonio.

—Me parece que no le he caído en gracia a tu marido—, le dijo a Oshún a la mañana siguiente.

—Quédate tranquila, te ayudaré en lo que pueda, no me gustan las injusticias— y diciendo esto se fue en busca de una filosa hoz y se encaminó hacia su huerto.

—¿Por qué le hicieron eso a su amiga y compañera?—, preguntó indignada Oshún.

Silencio total, nadie habló. La diosa de los girasoles disgustada como estaba fue cortando uno a uno los bejucos.

—Agradeceré con creces lo que has hecho por mí—, dijo la calabaza agradecida al enterarse de lo que había hecho su protectora.

Por esa época Orúmbila ganaba monedas a montones interpretando el Ifá. Terminada sus labores introducía las monedas en un saco y las guardaba en un escondrijo secreto. Un día la calabaza lo sorprendió en esa operación y empezó a sentir codicia por el dinero de Orúmbila. Todas las tardes, después que el viejo se marchaba, iba al escondrijo y robaba un puñado de monedas, que escondía en su seno. La calabaza engordaba desmesuradamente.

En una ocasión en que Oshún trató de abrazarla cariñosamente de pronto sintió un sonido extraño.

—¿Calabaza qué ruido es ese?—, preguntó algo intrigada.

—Es dinero de Orúmbila que estoy guardando para usted, de ahora en adelante seré yo su alcancía.

A Oshún no le agradó nada la idea, pero se quedó callada.

Un día el travieso Laroye se apareció en casa de Orúmbila con el maléfico interés de desunir el feliz matrimonio.

La calabaza conociendo del plan de Eleguá le dijo:

—Tú estás buscando lo que no se te ha perdido.

Laroye al escuchar aquella sentencia le preguntó:

—¿Y tú quién eres?

—Soy la alcancía de Oshún y no te permitiré que destruyas este hogar.

Laroye irritado por semejante atrevimiento la emprendió a golpes contra la calabaza, quien desesperada salió corriendo en busca de una botella de aguardiente.

—¡Basta! ¡Basta! Y toma esta botella de aguardiente, con el viejo haz lo que quieras y te prometo que te daré lo que me pidas, pero por favor a Oshún no la lastimes.

Eleguá, desde ese momento, comenzó a hacer todo lo posible por cerrarle los caminos a Orúmbila. Llegó el día en que este no ganó ni para comer.

En cierta ocasión, Laroye de tanto beber el aguardiente que le daba la calabaza cayó borracho

en el camino por donde viajaba Orúmbila. Oshún que pasaba en aquel momento al verlo tendido en el suelo le preguntó:

—¿Y tú qué haces por aquí?

—Pregúntale a tu calabaza—, respondió Eshu Eleguá, mientras abría un ojo.

Ofuscada, Oshún llegó a la casa y le preguntó a la calabaza, pero esta se hizo la que no sabía.

Cuando Orúmbila regresó, al anochecer lo hizo con el rostro desencajado y destruido por la situación de su penuria. Todos los caminos se le habían cerrado.

Oshún pronto se percató que todo era obra de Eleguá por culpa de aquel tubérculo que ella protegía. Fue en busca de la calabaza y furiosa como estaba la cortó con un cuchillo, en ese momento se derramó todo el dinero que poseía. Orúmbila, al ver tanto oro regado en el suelo exclamó: "¡Yalorde, eres la dueña del *owó*!".

Con la calabaza Oshún hizo la primera lámpara y bailó con ella, con la calabaza y la luz en la cabeza empezó a hacer milagros.

El vientre y la calabaza

Oshún había acabado de dar a luz a los *ibeyis* y su cuerpo comenzó a perder la forma agradable y armoniosa que tanto gustaba a los hombres y de la que ella estaba tan orgullosa. Su vientre no era ya aquel que se disputaban reyes, guerreros y cazadores.

Se pasaba los días mirándose en el espejo. No cesaba de llorar y de buscar los más variados

remedios que la ayudaran a recuperar su esbelta cintura. Ensayó baños que le recomendaban algunas mujeres, ensayó con yerbas que le aconsejaban otras, pero todo resultaba inútil.

Al fin, se le ocurrió aplanarse el vientre con un objeto que tuviese una forma redonda similar a las piedras usadas para moler las viandas y hacerlas harina. Se fue al bosque a buscar un fruto que tuviera la forma y el tamaño adecuado, allí se encontró la güira, pero tras varios días de usarla, el fruto comenzó a secarse y endurecerse. Según se secaba la güira, las semillas que llevaba en su interior, ya desprendidas, sonaban. Preocupada la diosa porque el sonido atrajese la curiosidad de las mujeres y estas descubrieran estos manejos, tan impropios de su jerarquía, desechó la güira y salió de nuevo a buscar otro futo. A los pocos días caminando cerca de su casa se encontró un fruto parecido a la güira, pero todo amarillo. Siendo ese el color preferido de Oshún, recogió uno cuyo tamaño le pareció adecuado. Era una calabaza.

Volvió a su casa y comenzó a frotarse el vientre con la calabaza. Todos los días la diosa repetía el masaje con el fruto, y fue así que a los veinticinco días su vientre se había recogido totalmente y su cintura era tan delgada que podía abarcarse entre los brazos de un niño pequeño.

La calabaza había ayudado a Oshún a recuperar su bella esbeltez y desde entonces esta la tomó para sí, protegiéndola y otorgándole la mitad de su salud y proteger el vientre de sus hijos, en especial el de sus hijas.

La apetebí de Orula

De la condición de Oshún como la *apetebí* (esposa) de Orula existen varias versiones. En unas aparece en calidad de secretaria, en otras como esposa acompañante y en otras como ambas cosas a la vez.

Una de estas narraciones cuenta que la primera mujer de Orula fue Yemayá y que de tanto observar como este manejaba los medios para interpretar a Ifá, terminó por aprender y dominar ese proceso.

Dicen que un día el *awó* se fue de *kirin kirin* (viaje) y se ausentó por cierto tiempo. La gente del pueblo que tenía su *arayé* (problema) iba a consultarse con Orula y no lo encontraban.

Los que conocen de esta historia dicen que una mañana Yemayá —no se sabe si por curiosidad o por otro motivo— cogió el *ekuele* y se puso a consultar.

Transcurrieron varios días y Yemayá continuó en su faena. El caso fue que cuando Orula regresó, se enteró de que había una mujer extraordinaria haciendo hablar el *ekuele* y lo hacía mejor que él.

Al anciano aquello le pareció raro y pronto entró en sospecha. Se dice que se disfrazó y como un mendigo se dirigió a su casa. Atónito se quedó cuando al entrar vio a Yemayá consultando, pero susto mayor fue el de la mujer que al verse descubierta no sabía qué hacer.

El disgusto de Orula era irreparable, dirigiéndose lentamente a la mujer le dijo: "El ojo no puede ver a través de un pañuelo negro cuando la noche es negra. Vete de mi casa y no regreses nunca más".

Dicen que después de este disgusto por la fatal conducta de Yemayá, fue entonces que el dueño del tablero conociendo las virtudes de Oshún la hizo su *apetebí*.

Un patakín muy mencionado narra que un día Orula hizo un *ebó* para limpiarse, con *ekú*, *eyá* y *awadó*. Iba por un camino buscando la manigua para botarlo cuando de pronto se encontró con un bello campo de bleo y se dijo: "Que bello campo de bleo para mi casa, tomaré algunas raíces para sembrarlo". Justo en el momento en que lo intentaba cayó en un pozo ciego. Orula al ver que le resultaba imposible salir, se puso a gritar, gritó y gritó, pero nadie acudía en su ayuda. Resignado se sentó a descansar y trascurrido cierto tiempo se puso a cantar como para disipar su pena.

Resulta que en esos días Eleguá le había dado ciertas instrucciones a Oshún para quitarse todo el *arayé* que tenía. Oshún hizo el *ebó* y fue y lo depositó donde le indicaron. Cuando iba de regreso, conociendo que cerca de allí había un campo de bleo decidió ir a recoger un poco para ella. Estaba en esta tarea cuando escuchó el canto de Orula y al aproximarse lo vio en la profundidad del pozo. Sin tiempo para preguntar por lo sucedido Oshún se despojó del vestido que llevaba —otra versión dice que fue con cinco pañuelos— e hizo una soga sacando a Orunmila del pozo.

De esta manera, por el noble gesto de Oshún, y también por su belleza, dicen que Orula decidió hacerla su *apetebí*.

Otra de las leyendas sobre Oshún como *apetebí* de Orula, relata que un día la *iyalorde* invitó a Eleguá a efectuar un paseo y este aceptó pensando en la posibilidad de conquistarla.

Después de haber avanzado un buen tramo por el camino, se encontraron con grandes plantaciones de frijoles carita, ñames, plátanos y otras frutas y vegetales. Oshún le preguntó a Eleguá: "¿Qué tierra es esta?". "Ejigbo Meko Nile", respondió Eleguá.

Oshún le volvió a preguntar: "¿Y quién es el dueño de todas estas plantaciones y tanta riqueza?". Y al saber que era Orunmila pidió ir a verlo para conocerlo.

Cuando llegaron a la casa del dueño de aquellas tierras, Oshún saludó a Orula y le manifestó su admiración por los sembrados que tenía, le dijo además que ella y su acompañante estaban muy cansados y preguntó si le permitían descansar. Orunmila muy atento les brindó asiento y les sirvió de sus mejores manjares. Los tres almorzaron en medio de una amena charla. Oshún se quejó del calor que hacía y Orula la abanicó suave y delicadamente, fue entonces cuando la *iyalorde* le dijo: "Me quedo contigo en esta casa, pues necesitas de una mujer". Debido a que Orunmila estaba soltero y hacía poco se había separado de Yemayá, aceptó.

Orunmila y Oshún salían con frecuencia de paseo y un día ella quedó embarazada. A pesar de todos los esfuerzos que hacía para ocultar su embarazo, pronto la noticia se propagó.

Yemayá, que por aquel entonces era madre de Shangó, decidió ir a Ejigbo Meko para cerciorarse de los rumores.

Cuando Yemayá llegó a casa de Orunmila vio allí a Oshún y le preguntó si era cierto lo que se comentaba, Oshún no respondió, entonces Yemayá llamó a Orunmila y le reprochó aquello que ya ella sabía. "Yo, que soy la mujer que tanto

te he querido me dejaste abandonada. El tiempo dirá quién te quiere más".

Pasó el tiempo y Orula no podía vivir sosegado, pues estaba presionado con aquella duda, sabía que se iba poniendo viejo y deseaba lo mejor para su hogar.

Llegado el momento en que ya no podía soportar más, llamó a Shangó y a Eleguá, y dijo: "Shangó, tú vas a estar presente en una comida que voy a dar y a la que voy a invitar a Oshún y a Yemayá, y tú Eleguá a una señal mía le prenderás fuego a la casa y cuando te indique lo apagarás".

El día de la fiesta llegó y cuando los invitados estaban más embullados con la comida que Orunmila les ofrecía, el viejo le hizo una señal a Eleguá quien de inmediato le prendió fuego a la casa a la vez que gritaba: "¡Fuego, se quema la casa!".

Dicen que cuando Yemayá escuchó aquello lo primero que hizo fue abrazar a Shangó y gritó: "¡Mi hijo!". Mientras que Oshún abrazó a Orunmila a la vez que gritaba: "¡Mi *okuní*!".

"Ya sé lo que debo hacer", dijo Orunmila, llegada la calma. "Tú, Oshún, serás mi *apetebí* por ser la que más me quiere y tú, Yemayá, serás 'Iyá mo Ayé' (la madre del mundo)".

Otra versión del porqué Oshún es la apetebí de Orula dice que hubo un tiempo en que este estuvo muy enfermo, apenas podía caminar y hasta andaba en una silla de ruedas. Una mañana, el viejo adivinador se consultó con el *ekuele* y le salió *Iroso Sa.* De acuerdo con el mito yoruba cuando en el oráculo sale esta letra el

consultante debe hacer con urgencia un sacrificio y tener mucho cuidado con el fuego.

Por aquella época Shangó mantenía relaciones amorosas con Oshún y celoso de sus encantos y de su coquetear con los demás orishas la perseguía constantemente.

Oshún al conocer de la enfermedad de Orula lo visitaba con frecuencia para brindarle su ayuda en caso necesario. Fue así cómo se enteró del *ebó* que tenía que hacer el enfermo para curarse. Debido a que el viejo no podía salir a ningún lado por estar postrado en su cama, Oshún fue en busca de los ingredientes para el sacrificio y Orula le estuvo muy agradecido.

Shangó observaba estos pasos de su amante y la amenazaba con castigarla si la sorprendía en un desliz.

Un día, en una de sus visitas, Oshún se percató de que Orula no tenía nada para comer. Sin pensarlo y guiada por su espíritu de bondad pronto le preparó una *adie* (gallina), que era la comida preferida del sabio.

Esto era lo último que podía ocurrir: ¡Qué su mujer le preparase la comida a otro hombre! ¡Imposible!

Shangó, cegado por los celos, de inmediato organizó una tormenta y con un rayo poderoso prendió fuego a la casa de Orula. El dueño del *ekuele*, a duras penas logró escapar del voraz incendio.

Oshún que había ido en busca de las especias para la comida, al ver aquel siniestro se desesperó pensando en la invalidez de Orula. Aterrorizada salió corriendo hacia la casa, donde intentó entrar pero las llamas se lo impidieron. Anegada en llanto y pensando lo peor se

internó en el monte en busca de consuelo. De repente, sentado bajo la sombra de un árbol, se encontró con Orula. Ambos se abrazaron fuertemente y se juraron eterna amistad.

"De ahora en adelante comerás conmigo y haremos nuestra comida predilecta", le dijo el viejo Orula. "Tú, que fuiste la pecadora, te acordaste de mí en los momentos más difíciles. Te nombro mi *apetebí* y juntos andaremos los caminos de los *odun* y de los hombres. *Iboru, Iboya, Ibosheshe*".

También se dice que una vez Orula lanzó al fondo del río su *até*, sus *ikis* y todos sus instrumentos de adivinar. Oshún los rescató y se los devolvió intactos al dios, que la nombró su *apetebí*.

Oshún encuentra lo perdido

Hubo una ocasión en que la Venus lukumí estaba pasando mucho trabajo y por mucho que se esforzaba por mejorar no lo lograba, al contrario, cada día estaba peor.

Un día en que ella estaba agotada de tanto caminar, se sentó al pie de un camino por el cual en ese instante pasaba Eleguá, quien al ver en el estado en que se encontraba la bella Oshún le preguntó qué le ocurría.

—Nada, que desde un tiempo todo en mí es atraso y desengaños—, y la Venus le contó todo lo que le sucedía.

—No te preocupes amiga mía, yo te llevaré ante quien es el más sabio de todos los sabios y con su lectura seguro que te ayudará a encontrar lo perdido.

Y diciendo esto, Eleguá la tomó por un abrazo y la condujo hasta la casa de Orula. Este al contemplar el estado en que se encontraba la divina Oshún le dijo: "Veo que no estás nada bien, pero descuida, tal como te llegó el mal así saldrá".

Y Orula le hizo *osodé*, y le salió el *odun Oshe Trupo* y le indicó el *ebó* que tenía que hacer, y así se hizo. También le recomendó que tuviera cuidado al hacer favores para que no volviera a pasar trabajo y además le dijo que ella iba a pasar un bochorno, el cual le iba a hacer bien.

Oshún hizo lo que le indicaron y después de darse un baño en el río regresó a casa de Orula en busca de unas pertenencias que allí había dejado.

Cuán grande fue la trasformación que se había producido en la deteriorada imagen de la virgen, que Orula quedó impresionado y obsesionado, pronto comenzó a enamorarla, llegando ambos a hacer *ofikale trupón*.

Cuando estaba realizando dicho acto, a Oshún le bajó la menstruación que por tanto tiempo había tenido retenida. Ella se abochornó, pero al mismo tiempo mucho se alegró al sentir el advenimiento de *ashupá* (menstruación).

De cuando Yemayá le entregó el río a Oshún

Oshún, la bella entre las bellas, gustaba de pasearse por el monte. Cantaba y jugaba con los animales porque ella amansa a las fieras y ni el alacrán la pica.

Un día Ogún, el herrero infatigable que vive en la manigua, la vio pasar y sintió que se le

traspasaba el corazón. Impetuoso y brutal, corrió detrás de ella decidido a poseerla. Oshún que estaba enamorada de Shangó, huyó asustada.

Ágil como un venado atravesó los verdes campos de berro de Orisha Oko, el que asegura la fecundidad de la tierra. Pero Ogún, enardecido y violento la perseguía estando a punto de darle alcance. La orisha, desesperada, se lanzó al río. Arrastrada por el torbellino de la corriente, llegó hasta la desembocadura donde se tropezó con la poderosa Yemayá, madre de todas las aguas.

—Madre tú que todo lo puedes, protégeme por favor.

—No te preocupes hija, nadie se apoderará de ti si no es con tu consentimiento. A partir de ahora tú serás la dueña de estas aguas.

Y fue así cómo Yemayá tomó bajo su protección a Oshún y le entregó el río para que viviera en él.

Historia de Oshún y el pavo real

Un día Olofi descendió a la Tierra sentado en una canoa que iba sin remos llevada por la corriente de un caudaloso río.

Ocurrió que la canoa navegó hasta un lugar lejos, lejos, muy lejos, hasta detenerse en la orilla de una aldea.

Olofi se levantó para encaminarse hacia donde se encontraban los habitantes del lugar y dirigirle la palabra. En ese momento se aproximó una bella joven a buscar agua al río. Olofi al verla se enamoró de ella apasionadamente. Además de bonita se veía que era muy limpia y preocupada de lo que hacía.

Pronto se casó con ella y se la llevó con él. Mboya Colé (que este era el nombre de la muchacha) no regresó más a su tierra.

Sucedió que Mboya le dio una hija llamándola Oshún *Omi Pachangara* (en honor del río donde se habían conocido). Oshún creció y creció, cada día más hermosa, llena de riquezas y alegría contagiosa, queriéndola Mboya, más que a nada en el mundo. Todas las criaturas, lo mismo la de las aguas que de los aires, querían a Oshún.

Olofi comenzó a disgustarse con su esposa, debido a que esta apenas lo atendía y todo el cuidado se lo propiciaba a su hija. También se disgustó con Oshún. Ya ni siquiera podía navegar en su canoa por el río, pues este no se movía si Oshún no viajaba en ella. No podía pescar, los peces no picaban si Oshún no lo pedía.

Olofi, obsesionado e incomprensivo, un día se enfureció a tal extremo que desde lo más alto de una loma lanzó a su hija a las profundidades de un abismo.

Al pie del abismo había un río muy ancho que desembocaba en un lago donde no se veían las orillas. Al caer Oshún, las aguas se apartaron y todos los peces formaron un colchón suave para recibir su cuerpo de modo que ella no se lastimara. La tomaron de la mano y la llevaron hasta el fondo donde vivía en una cueva una mujer llamada Otoyomá Olocun, quien le dijo al verla llegar:

—Mi casa será tu casa, mis aguas serán tus aguas, compartiremos todo, y no tengas miedo, pues Olofi nunca sabrá que estás viva.

—Gracias—, dijo Oshún y se acostó a dormir, pues estaba cansada después del susto que había pasado.

Poco tiempo después de que Olofi tirara a Oshún al abismo, Mboya corrió a su lado preguntándole angustiada qué había hecho con su hija. Olofi no respondió, estaba como idiotizado. Al no tener respuesta, Mboya salió corriendo hacia los bosques en busca de Oshún.

Desde entonces el ruido que hace el viento entre los árboles por las noches en los bosques es la voz de Mboya buscando a su hija. El ruido de los caracoles cuando los llevas al oído es la voz de Mboya buscando a su hija.

No pasó mucho tiempo, y Olofi, vuelto a sus cabales, comenzó a buscar a Oshún para tratar de pedirle perdón por lo que había hecho.

En el mar preguntó: "Mar, ¿has visto a mi hija Oshún?". También le preguntó a la tierra, a los ríos, a los bosques, a los animales y a todo al que le preguntó le respondió igual: "No, no la hemos visto".

Imposibilitado de encontrarla, Olofi se encerró en una nube y de tanto llorar la Tierra se cubrió toda de agua.

Al fin un día cesó el llanto de Olofi y *Agayú* brilló de nuevo sobre la Tierra. Salió otra vez Ozain con sus plantas, hierbas, árboles y bejucos; todo volvió a ser como había sido. Pero Olofi no cesaba de buscar a su hija, queriendo dar su corazón a cambio del perdón de Oshún.

Al regresar Olofi a la Tierra, al primero que encontró fue al camaleón.

—Camaleón, ¿has visto a mi hija Oshún?—, preguntó Olofi.

El camaleón, no queriendo comprometerse dijo:

—Ciertamente que por algún lago o río me parece haber visto a una mujer muy bonita, pero no sabría decirte quién es.

—¿En cuál río? ¿Dónde la has visto?

—Bueno, el caso es que yo como mucho y tengo muy mala memoria, tan mala, que a veces no sé de que color tengo la piel y la cambio sin darme cuenta.

—¿Hace tiempo?—, inquirió Olofi.

—Los días son largos, muy largos. Sí, efectivamente hace mucho tiempo, antes de que cayera tanta agua del cielo.

—¡Entonces no ha muerto!—, exclamó entusiasmado Olofi saliendo hacia el río más cercano.

El camaleón asustado, llamó al loro y le dijo: "Vuela al río y avísale a Otoyomá que Olofi va para allá". El loro salió volando muy rápido y llegó a tiempo para avisarle a Otoyomá que Olofi se dirigía al río.

Otoyomá cogió a Oshún de la mano y, siempre caminando por el fondo del agua, llegaron hasta el centro del mar, y allí en la cueva más grande que encontraron se quedaron a vivir.

El padre al no encontrar a su hija en el río, salió enojado en busca del camaleón, quien al verlo venir, desesperado se metió debajo de una piedra de donde todavía sale muy raras veces, por miedo a la furia del Supremo.

Olofi, cansado de buscar, decidió retirarse a una montaña a vivir solo, pero siempre que pasaba un animalito por el lugar, preguntaba por Oshún, sin que nadie le dijera.

Cerca de la cabaña de Olofi, vivía un *agüení* (pavo real) que veía cómo este no cesaba de preguntar por su hija.

Mientras, Oshún creció hasta convertirse en una bella mujer. Un día decidió salir de la cueva donde vivía con Otoyomá Olocun y a quien quería como una hermana, y le dijo: "Ya soy una mujer y no tengo miedo de mi padre. Quiero conocer el mundo; no te asustes, pues yo me cuidaré viajando nada más que por las aguas".

Otoyomá consintió, pero no sin antes decirle que cuando la necesitara la llamara, que desde el fondo del mar siempre vendría en su ayuda.

Partió Oshún, por todas las aguas del mundo fue viajando y cada vez que un pescador o un marinero estaba en peligro, ella le ayudaba. Así hizo muchos amigos por donde quiera que pasaba. Los hombres agradecidos, le llevaban miel de abejas, gallinas, naranjas, calabazas, dulces y muchas comidas agradables; con una campanita tocada a la orilla de las aguas le avisaban que le traían regalos. Oshún complacida los aceptaba y les devolvía el favor con peces abundantes y muchos caracoles (en aquella época este era el dinero).

Un día, el pavo real intrigado, se acercó donde estaba Olofi y le preguntó:

—¿Por qué buscas tanto a Oshún?

—A todo el que le pregunto, replicó Olofi, me dice que no sabe nada, tú eres el primero en preguntarme la razón y por tanto te la voy a decir. Hace muchos años cometí una injusticia impulsado por los celos, desde entonces vivo nada más que para pedirle perdón a Oshún, pues mi corazón me dice que no está muerta y que algún día la encontraré.

Mientras hablaba las lágrimas le corrían profusamente por las mejillas, ya viejas y arrugadas por el dolor. El *agüeni* se compadeció de Olofi, pues veía la seriedad de sus palabras, por unos instantes reflexionó y le dijo:

—Tu hija vive y yo te voy a decir la manera de encontrarte con ella. Baja de la montaña y vete al río, lleva una campanita, maíz, miel de abejas, pimienta, canela y un par de gallinas. Cuando llegues, toca la campana varias veces, verás venir del agua una mujer muy hermosa. Esa es tu hija.

Olofi hizo lo indicado y no pasó mucho rato, cuando del río surgió Oshún.

—¿Qué deseas de mí, buen hombre, que me has llamado con tanta insistencia?

Olofi solo la miraba y no venían las palabras a sus labios. Oshún insistió:

—¿Dígame usted qué desea?

Olofi todo lo que pudo hacer fue abrazarse a los pies de ella desconsolado.

—Soy tu padre y he venido a que me perdones.

—Hace muchos años que te perdoné, le contestó Oshún, en mi corazón nada más cabe el amor. Levántate y no me busques más; yo soy feliz. Cuantas veces me quieras visitar ven a las aguas, pues ellas son mi casa.

Por mucho rato conversaron padre e hija, por fin Olofi partió y al llegar a la montaña, llamó al *agüeni* y le dijo:

—Gracias a ti he vuelto a ver a mi hija, por tanto, que tus plumas sean las más vistosas de todas las aves y tú serás mi mensajero con mi hija. Todo lo tuyo será de ella, sírvele bien y cuídamela mucho.

Y aconteció que Olofi, se fue al cielo, de donde había venido hacía tantos años.

La Venus lukumí y la comprensión

Andaba yo una vez por un camino, me encontré a un viejo, prieto, muy prieto que me contó cosas fantasiosas, creíbles y no creíbles, entre ellas, una sobre la que llamó la Venus lukumí.

Dijo que Yemayá no era persona de estar visitando a nadie, ni a su propia hija, por eso esta se extrañó un día en que la visitó. En su rostro se observaba la huella de no haber dormido y se le notaba preocupada. La Venus lukumí al ver a su madre así le dijo:

—¿*Iyá Mi* (madre mía), qué le ocurre que veo la tristeza en su rostro?

Yemayá no respondió y se sentó sobre una estera en el suelo haciendo un gesto a su hija para que la imitara. Ambas se sentaron frente a frente. La Venus lukumí volvió a preguntarle.

—¿Madre mía, ocurre algo en el reino?

Dice el viejo que todos en el pueblo sabían de la dedicación y preocupación de Yemayá por los problemas del reino.

Yemayá contempló fijo a su hija y procedió a quitarse el pañuelo azul que llevaba en su cabeza.

—Vine a hablar contigo hija mía—, le dijo.

—Pídame lo que usted quiera madre.

Yemayá no sabía qué decirle, conocía de la nobleza de Oshún y de su espíritu de sacrificio. Estaba convencida de que ella no diría que no. Bajó la cabeza muy pensativa, con los ojos cerrados y después de una larga reflexión dijo:

—Agayú.

—Qué sucede con Agayú, *Iyá Mi*, ¿está enfermo?—, preguntó Oshún.

—No, no está enfermo, hay algo peor, tendremos que separarnos.

Yemayá acomodó su espalda en uno de los troncos que sostenían la casa de su hija y con voz baja y extenuada comenzó a relatar el drama por el que atravesaba.

La situación interna del reino estaba llena de pugnas y conflictos. Por razones muy contrarias a sus más profundos sentimientos, si ella deseaba la paz para su pueblo, tenía que separarse de Agayú y así se lograría la estabilidad del reino.

—Nadie como tú tienes los encantos para cobijarlo, protegerlo y además darle el suficiente amor que lo alimente.

Su voz se quebraba, pero ella se imponía, tenía que hablarle claro a su hija por el bien de la comunidad y de todos. Poco a poco fue diciéndole su plan. La Venus lukumí estaba consternada con lo que oía, pero nadie como ella conocía de los méritos de su madre y de lo que era capaz de hacer por su pueblo.

Después que Yemayá se fue para su casa la dueña de la dulzura permaneció todo el día y la noche pensando en la propuesta de su madre.

A la mañana siguiente Yemayá y Agayú emprendieron el camino hacia la choza de Oshún. Agayú marchaba preocupado por el mutismo de su amada, aun cuando él estaba acostumbrado a respetar su silencio, pero siempre le resultaba agradable una visita a la Venus lukumí.

Antes de marcharse en su visita anterior, Yemayá le había dicho a su hija.

—Yo le diré a Agayú que tú nos invitas a que te visitemos, cuando ya estemos aquí, yo fingiré haberme olvidado de una cita con Obatalá para discutir asuntos del reino, entonces me marcharé y no regresaré, cuando yo me haya ido, que él vea que no regreso, tú le empezarás a coquetear, él como hombre joven y lleno siempre de ansias sexuales, no se te podrá resistir; cuando pruebe tu dulzura, jamás querrá volver conmigo.

A la llegada de la pareja, ya dentro de la casa, Oshún entregó a Agayú un gallo para que lo matara mientras ella y su madre se dirigían al río en busca de agua. Ambas caminaron sobre las hojas secas que bordeaban la orilla. Hubo un instante en que Yemayá se detuvo y estrechó fuertemente a su hija entre sus brazos en señal de despedida. La Venus lloraba copiosamente. Todo fue muy triste.

Ya de regreso donde Agayú, Yemayá llevando sus manos a la cabeza en gesto atormentado exclamó: "¡Qué memoria la mía, por poco olvido mi importante reunión con Obatalá!", y diciendo esto salió en veloz carrera sin dar tiempo a que su marido hablara o reaccionara.

Una vez que Yemayá desapareció, Agayú le exigió a la Venus lukumí que le explicara el

motivo de aquella rara conducta. La Venus le explicó y ambos optaron por darse un tiempo para conocerse y medir hasta qué punto podrían unirse y comprenderse.

El romance que iniciaron estos dos orishas fue muy hermoso y fue así como se hizo realidad el proverbio africano: *A falta de amor, comprensión.*

Oshún y Oshosi

Sí, fue mi tía quien me lo contó. Dice que un día, la Venus de los yoruba salió a caminar por el reino, ya que se sentía deprimida y agobiada por tantos sinsabores en su vida. Pensaba que había llegado el momento de hacer un balance de su existencia, la cual se resumía en haber luchado mucho por otros y nada por ella. Al parecer era la mujer más poderosa del mundo, por ser considerada la reina del amor, pero se daba cuenta que no era más que la reina de un vacío al cual iban a parar todas sus ansias y sus anhelos. Para ella los hombres habían perdido la fuerza que hacía valer la vida.

Oshún había conocido cojos mentales, mancos mentales, tuertos mentales y paralíticos mentales, pero lo peor eran aquellos ciegos mentales que no veían más allá del placer carnal. Con estos pensamientos dando vueltas en su mente se fue a la orilla del río y de pronto vio pasar a su madre seguida por un séquito al final del cual se observaba a un pavo real, su ave predilecta.

El pavo real iba luciendo su plumaje negro verdoso, con matices color del oro. Su cola vi-

brante brillaba como los rayos del sol. Oshún no pudo resistir la tentación de seguir al *agüení* con el fin de extraerle algunas de sus plumas para hacerse su tan deseado *abebé* (abanico).

El pavo real asustado salió corriendo hacia el monte, donde a excepción de Obatalá ningún orisha podía entrar, pero Oshún tozuda se empecinó en perseguirlo sin saber que la acechaba Olusi, la gran serpiente que era a la vez el mismo diablo.

Oshún se internó en el monte persiguiendo al *agüení*. Olusi, que la observaba y la quería para él, pronto se le abalanzó tratando de devorarla. Oshún despavorida, quiso correr pero sin darse cuenta cayó en una trampa. Fue justo en ese momento cuando apareció Oshosi el gran cazador.

Hombre y serpiente se enredaron en una lucha tenaz. La serpiente lo mismo trataba de tragárselo que asfixiarlo con su larga y ancha musculatura. Oshosi perdía respiración y fuerza, trataba de alcanzar su cuchillo, pero la piel del endemoniado reptil se lo impedía.

Oshún aprisionada por un grillete que tensaba uno de sus pies contemplaba desesperada aquella lucha. Por un momento pensó que el diablo impondría su fuerza, pero, finalmente, venció el cazador.

Oshosi, que era de los orishas que veía a la diosa de la miel con los ojos del alma, pronto la liberó y juntos vivieron por largos años.

Oshún salva a Oyá

Dice mi abuela que Oshún, Yemayá y Oyá eran tres hermanas que se llevaban muy bien, que

Oshún se encargaba de los trajines de la casa, Yemayá procuraba el sustento de las tres, y Oyá, la más pequeña, se dedicaba a pasear y a jugar.

Un día, Oshún viendo que su hermana menor demoraba en regresar para el almuerzo, preocupada salió en su búsqueda. Mucho mayor fue su preocupación cuando supo por vecinos del lugar, que bandidos de una tribu extraña merodeaban por los alrededores.

Oshún estuvo horas y horas buscando a su hermana sin encontrarla. Cuando ya se disponía a ir a la casa del adivino del reino, al pasar cerca del patio de una cabaña, escuchó y vio a un grupo de desconocidos que reían y hablaban en voz alta. Allí estaba su hermana prisionera de los bandidos. Oshún no tardó en enfrentársele como una fiera, pero estos la dominaron.

Dice mi abuela que los captores de Oyá al percatarse de la belleza de Oshún le exigieron un rescate y esta al no poder pagar con dinero les pagó con su cuerpo.

El vestido amarillo de Oshún

Mira que de esto también tanto se ha hablado, de que si amarillo, de que si blanco.

Como es bien conocido Shangó no se perdía un *wemilere*, fiesta que había, fiesta donde se le encontraba. Nadie como él tocaba el tambor, ni bailaba una rumba.

Oshún estaba fascinada por este hombre del que tanto había oído hablar. Se decía que era hermoso, galante y muy dado a las mujeres.

Un día Oshún llega a una fiesta y con el primero que se encuentra es con el rey del Añá,

quien a diferencia de los demás orishas la ignoró totalmente. Esta actitud lejos de desanimarla incrementó más su interés por aquel hombre. Ella bailó, se le insinuó, lo besó mientras tocaba el tambor, pero él seguía indiferente. La diosa del amor no se daba por vencida y acudió a sus sortilegios para rendir a los hombres, pero no obtuvo ningún resultado.

No pasó mucho tiempo y frente al mercado del pueblo volvió a celebrarse otro *wemilere* y como siempre allí estaba Shangó. Esta vez Oshún apareció más bella que nunca y cantando esta canción:

Yeyé –o– oñí oh Oñí abe

¡Sekure a la yumooo!

Oñí abe

¡Sekure a la idooo!

¡Sekure ibukole!

Oñí abe (...).

Shangó le dijo: "*Cofiadeno, Omordé* (cálmate mujer)", pero definitivamente no pudo continuar resistiéndose ante tanta tentación y terminó en los brazos de la dulce mujer que lo conquistaba. Ambos comenzaron una relación donde juraron amarse sobre todas las cosas.

Pasó el tiempo y Shangó se vio envuelto en todo tipo de dificultades, la pobreza y la fatalidad lo perseguían. Ya no tocaba el tambor ni asistía a ningún *wemilere*. Oshún sufría en silencio y poco a poco fue perdiendo todo lo material que tenía y finalmente se quedó con solo un vestido. Dicen que de tanto lavarlo quedó amarillo y por eso los seguidores de esta orisha se visten con ese color, que significa sacrificio de amor.

Otro relato sobre el vestido amarillo de Oshún, cuenta que en una época ella fue una reina muy rica que presumía de su cuerpo y su belleza. Se pasaba largas horas mirándose al espejo o viendo reflejado su rostro en las claras aguas del río mientras se peinaba y volvía a peinar su larga cabellera.

En una ocasión, su reino fue eje de sangrientas guerras de conquista. A Oshún no le quedó más remedio que huir y abandonarlo todo. A partir de ese momento, grande fue su pobreza y mayor aún los trabajos que pasó. De sus magníficos vestidos solo le quedó uno que de tanto lavarlo y volverlo a lavar en las aguas amarillas del río, tomó ese color. Tuvo que vender sus joyas para poder comer, y para colmo, del sufrimiento se le cayó el pelo.

Oshún, la bella entre las bellas, ahora estaba triste, abandonada, y lloraba y lloraba. Pero pronto estas lágrimas llegaron hasta el fondo de las aguas donde vivía Yemayá, dueña de todas las riquezas del mundo y la persona que más amaba a Oshún sobre la Tierra.

—No llores más mi hermana linda. Tus lágrimas se me clavan en el corazón. Reina fuiste de la risa y reina de la risa serás por la gracia de Olofin. De hoy en adelante, te pertenecerá todo el oro que se encuentra en las entrañas de la tierra, los corales del fondo del mar, no volverás a trabajar como las esclavas sino que te sentarás en tu trono dorado y te echarás fresco, como corresponde a las reinas, con un abanico de plumas de pavo real, animal que es mío, pero que pasará a ser tuyo desde el día de hoy. Y para que no te atormentes más, mira; ¿ves mi cabellera?,

¿recuerdas que ella era mi orgullo, lo mismo que la tuya lo era para ti? Aquí la tienes. Házte una peluca con ella para que nadie te vea en ese estado y puedas esperar dignamente hasta que el pelo te crezca.

Así le dijo Yemayá a su querida hermana Oshún, mientras con lágrimas en los ojos, se cortaba, en sacrificio, su frondosa cabellera. Desde ese día Oshún defiende siempre a las hijas de Yemayá, y Yemayá a las de Oshún. Esa es la causa por la cual ni las hijas de Yemayá, ni las de Oshún deben cortarse mucho el pelo.

Oshún y Orisha Oko

Esta es otra versión acerca de la pobreza de Oshún y de su único vestido el que según la versión recogida por la investigadora Lydia Cabrera era de color amarillo y de tanto lavarlo se puso blanco. De cómo resurge Oshún de aquella etapa tenebrosa en que la Venus, antes tan presumida, solo poseía un vestido se lo contó una hija de Oshún:

> Iba por el campo indigente y vagabunda. Vio a lo lejos un bohío y, rendida de fatiga, se dirigió hacia él. No podía más y a poco sufrió un desmayo y cayó en la tierra recién arada por Orichaoko. Este fue a socorrerla, y como la mujer tenía perdido el conocimiento, la cargó y llevó a su casa. Allí Ochún se reanimó y aceptó la comida que le brindó Orichaoko. Luego se quedó profundamente dormida. Oko la registró y encontró en su cuerpo una marca que él mismo le había hecho. ¡Oko no la

había reconocido! Tan mal está la linda entre las lindas. Cuando despertó le preguntó su nombre. Ochún quiso ocultarle quién era y le dio otro.

¡Mientes! Le dijo Oko. Ochún tuvo que confesarle la verdad. Oko le pidió que se quedara con él. Invitó a los orichas a su casa y Ochún se presentó ante ellos de espaldas y con la cara cubierta por unos hilos largos de cuentas que le caían hasta los hombros. Todos quisieron saber quién era esa *obiní* (mujer), y Ochún se dio a conocer. Fue así como la Venus lukumí se restableció de tanta pobreza.[3]

Eleguá Laroye, protector de la Venus

Cuentan que aquella vez en que Oshún no hacía más que llorar y lamentarse por la mala situación en que vivía, Eleguá Laroye, de quien dicen que es el Eleguá que la protege, la llevó a ver a Orula para que este le hiciera *osodé*. Orula le preparó un *ebó* y le dijo el lugar donde debía llevarlo.

Oshún partió con el *ebó*, y andando, al doblar del camino, se halló frente a un palacio. A las puertas de este palacio estaban unos *ibeyi* y un *idou* (el que nace después de unos mellizos) discutiendo acaloradamente. Los tres hermanos también la vieron y quedaron por un momento asombrados en silencio. Un *ibeyi* aprovechando la sorpresa del otro, sacó un puñal y lo mató. Oshún aterrorizada dejó caer el *ebó* y salió corriendo a darle cuenta a Orula de lo que

[3] Lydia Cabrera: Ob. cit., p. 84.

había presenciado. Oshún saludó a Eleguá. Orula le dio de beber y la obligó a descansar de aquel mal rato, después la envió al mismo lugar con otro *ebó*. Un güiro con agua de río, una calabaza y un *akukó-jio-jio* (un gallito). Oshún iba temblando: allí estaban todavía a la puerta del palacio, discutiendo vivamente, el *ibeyi* y el *idou*. Al verla se batieron, el *idou* mató al *ibeyi*. De nuevo el *ebó* se le cayó a Oshún de las manos y ella de nuevo salió corriendo a contarle a Orula lo sucedido. Oshún saludó a Eleguá, bebió agua y reposó un rato. Orula preparó otro *ebó*. Un chivo, diez palomas, un género amarillo, *akoidé* (manilla), *apopó* (diez varas de tela), *apolowo* (saquito con dinero), una freidera y una güira. Y Oshún llevó el *ebó*. Esta vez el *idou* le salió al encuentro. "No huyas –le dijo–, yo soy el dueño de este palacio que está lleno de riquezas. Voy a morir y te las doy. ¡Son tuyas!".

Dicen que gracias a la intervención de Eleguá fue que el *ebó* de Orula dio resultado, pues Eshu no es un "servidor" incondicional de Orula, como tienen la ligereza de insinuar "algunos charlatanes", es su socio, su aliado, lo cual es muy distinto, y de él cuida esmeradamente el *awó*.

¿Por qué Oshún no come calabaza?

Cuentan que una vez en que Orula estaba casado con Yemayá salió un día en busca de materiales para trabajar. El orisha caminó y caminó, y de pronto se encontró con Oshún bañándose en el río. Dicen que Orula quedó tan impactado con aquel cuerpo y tanta belleza que de inmediato comenzó a enamorarla.

Oshún estaba muy lejos de concebir alguna relación amorosa con quien era el marido de su hermana, por lo tanto se resistió y lo rechazó. Pero aún no se sabe cómo, el caso es que finalmente el sabio logró conquistar a tan hermosa mujer.

"¿A dónde me vas a llevar?", le preguntó Oshún, algo tímida y temblorosa. "Vámonos aquí cerca, a un lugar que solo yo sé". Y Orula la llevó a la entrada de un pozo cubierto de calabazas.

Sucedió que mientras tanto Yemayá había salido al campo en busca de algunos ingredientes para cocinar. Iba ella entretenida cuando de pronto se encontró un calabazar y al ver calabazas tan hermosas se decidió por coger algunas. Grande fue su sorpresa al escuchar quejidos y exclamaciones, intrigada por lo que oía se fue acercando más y mayor aún fue su aturdimiento al descubrir a su hermana con su marido.

Dicen que todos los orishas y vecinos de la región supieron de lo acontecido y que Oshún, avergonzada y humillada por lo ocurrido, decidió nunca más comer calabaza para no recordar lo sucedido.

Oshún y las cotorras

El viejo Orúmbila, el mejor conocedor de los caminos de hombres y mujeres en la Tierra, acrecentaba cada vez más su prestigio por la virtud y el favor especial concedido por Olofi. Su fortuna económica también se acrecentaba.

Con Oshún de esposa vivía muy feliz. Tenían buen hogar, buen sustento y buenos pasatiempos. Mas a Orúmbila le preocupaba una cosa: sus

impulsos viriles cada día iban en decadencia, y Oshún, joven y arrogante del sexo, le exigía lo que él no podía proporcionarle.

"Vamos al lecho", le reclamaba Oshún. Y él le respondía con sus ansias varoniles frustradas. Su esposa se quejaba.

Orúmbila comprendía que su mujer, joven y bonita, un día buscaría en otro mozo lo que él solo podía brindarle en un borroso recuerdo de sus años juveniles. Ese día llegó y fue entonces que Oshún se relacionó con Ogún Arere, el rey de los metales.

El viejo Orúmbila, lleno de malos presentimientos, un día compró una cantidad de cotorras. Una tarde, Oshún al regresar a su casa se encontró que esta estaba ocupada por un grupo de aves que revoleteaban y unas y otras decían:

—¿Cuándo vendrá la adúltera?

—Oshún se ha ido de panchágara (a prostituirse).

—Ya vendrá ella y se lo diremos todo a él.

Oshún, manteniendo la calma, hizo su entrada en la casa aparentando una gran alegría.

—¡Ah!, qué bueno es Orúmbila, ha llenado mi casa de cotorras. Cotorras mías, ¿quieren comer?

—¡Sí!, respondieron todas al unísono.

Oshún se trasladó hasta la despensa y preparó *awadó* (mezcla de maíz con aguardiente y miel), y brindándoselo a las cotorras les dijo quedamente:

—*Omoyú lepe-lepe* (Manténganse en silencio).

Cuando el viejo Orúmbila hizo su entrada en la casa, las cotorras permanecieron calladas, cosa que lo hizo dudar.

—¡Qué alegre estoy con mis cotorras!—, dijo Oshún aparentando conformidad.

—Para eso te las he traído—, le dijo Orúmbila.

Pero Orúmbila esperaba, y no tardó el día en que al llegar a su casa observó que las cotorras estaban inmóviles, entregadas a un profundo sueño, hizo mil ruidos para despertarlas y nada. Las aves continuaban al perecer rendidas en un eterno sueño.

Oshún, en un descuido, había añadido a los granos de maíz más *otí* de la cuenta. El hombre permaneció callado. La mujer guardó silencio.

Por la noche fueron al lecho, pero ambos no pudieron hacer nada. Estaban muy preocupados. A la mañana siguiente Orúmbila envió a Oshún por comida. Tan pronto esta se alejó el viejo sabio embarró el pico de las cotorras con *epó* (manteca de corojo) y dijo para sí: "Ahora tendrán que hablar".

Orúmbila se entregó a sus labores de consultar a los aleyos con la misma impasibilidad de siempre. Cuando Oshún regresó del mercado, el viejo la tomó por las manos y le dijo:

—No des de comer a las cotorras, ya les di, mejor es que te entregues a tus labores.

—Está bien—, respondió Oshún preocupada.

Ausente Orúmbila, Oshún fue nuevamente donde las cotorras y otra vez les suministró *oñí* con *otí*, musitando las palabras: *Omoyú lepe-lepe.*

Dicho esto se trasladó corriendo donde Ogún Arere, a quien le comunicó sus sospechas sobre Orúmbila. El rey forjador de los metales le dijo que no se preocupara y colmó sus manos de oro.

Mientras, allá en el hogar, Orúmbila y las cotorras esperaban. Cuando Oshún alegre y segura de sí misma hizo su aparición, las cotorras comenzaron a gritar:

—Ahí viene la adúltera pachanguera de verse con Ogún Arere.

—¡Orúmbila, tu mujer te engaña!

Oshún, furiosa, arremetió contra las aves que continuaban gritando sin cesar, diciendo toda la verdad.

De cuando salva a Babalú Ayé

Dicen que Babalú Ayé tenía mil mujeres y una vida desordenada. Un día Orúmbila se le acercó y le dijo:

—Como ves hoy es Jueves Santo y Olofin quiere que, por hoy, controles tus impulsos sexuales.

Dicen que Babalú respondió:

—Si Olofin me dio el *ashé* fue para que yo lo usara. Así es que cuando me dé ganas siempre lo haré.

—Entonces, haz tú lo que te parezca, eres todo un irresponsable—, le dijo Orúmbila y se marchó.

En la noche del Jueves Santo a Babalú Ayé se le presentó una hermosa mujer y este no vaciló

en hacer *ofikale trupón* con ella. Al día siguiente su cuerpo amaneció todo lleno de llagas y no demoró en morir.

Las mujeres del pueblo, al conocer la nefasta noticia, corrieron a ver a Olofin, en búsqueda de ayuda. Pretendían que el Ser Supremo restaurara la vida de Babalú. Olofin, ofendido, rechazó el pedido.

Las *omordé* (mujeres), disgustadas, se dirigieron a Orúmbila y lo conminaron para que hiciera algo. Orúmbila, sin conocer con certeza los intereses de las *omordé* accedió al pedido y regó todo el palacio de Olofin con la miel de Oshún. Este pronto se sintió embriagado con aquel olor y mandó a buscar a uno de sus ayudantes:

—¿Quién ha regado mi casa con tan exquisita miel?

—No sé señor—, respondió el ayudante.

Olofin, aún extasiado por aquel delicioso olor mandó a buscar a Orúmbila: "Orúmbila, tú que lo sabes todo, dime de quién es la miel que ha invadido mi casa".

—Papá, si lo supiera se lo dijera—, contestó Orúmbila preocupado.

—¡Quiero esa miel ahora!

—No puedo dársela.

—¿Y quién puede entonces?

—Una mujer—, respondió lacónicamente Orúmbila.

Olofin mandó a llamar a todas las mujeres de la aldea y preguntó:

—¿Quién ha regado mi casa con esa miel tan olorosa?

—Lo ignoramos, señor—, respondieron todas las mujeres.

El rey, al observarlas detenidamente, se percató de que faltaba una. Se trataba de Oshún a quien de inmediato mandó a buscar y llevar a su presencia.

—¿Qué sabes tú de ese olor en mi casa?

—Es la fragancia de mi *oñí*—, respondió Oshún mesuradamente.

—Quiero que me consigas más de tu *oñí*—, Olofin ordenó.

—Si tú tuviste poder para quitarle la vida a Babalú Ayé, yo lo tengo también para conseguir el *oñí*, y si tú tienes poder para quitar vidas también debes tenerlo para reponerlas, si quieres de mi *oñí* resucítame a Babalú Ayé.

Dicen que Olofin dijo: *To, Iban, Eshu.* Y Babalú Ayé volvió al mundo, y volvió a gozar del mismo privilegio del que antes disfrutaba.

Oshún y Azojuano

A mi abuela, que creía mucho en San Lázaro, una vez le hicieron esta historia.

Azojuano antes de ponerse a vivir con Oshún había gobernado en otra tierra en la cual tuvo como ayudante a Eshu Alaguana y ambos vivían en la misma casa.

Cuando Oshún se junta con Azojuano no soportaba la presencia de Alaguana, por lo que este se vio precisado a abandonar la vivienda e irse a vivir al cementerio, dedicándose a trasladar la comida de Yewá.

Eshu Alaguana, que tenía una gran estima por Azojuano quien había sido su maestro y amigo, frecuentemente trataba de visitarlo, pero Oshún no le permitía la entrada por la peste que traía. Ante tales circunstancias Alaguana optó por vigilar a Oshún y siempre que ella se descuidaba, él entraba a la casa y la ensuciaba.

Oshún preocupada buscaba y buscaba quién le ensuciaba su hogar, pero no lo encontraba. Sucedía que cuando ella entraba Alaguana se convertía en basura.

Producto de todo esto, la enfermedad y la tragedia cundieron en la casa. Oshún un día le dijo a Azojuano: "En los últimos tiempos estamos pasando mucho trabajo y creo que ya es hora de ir a ver a Orula".

Azojuano accedió y durante el *osodé* (consulta) le salió el *odun Odi Roso* donde decía que había un personaje que siempre había andado con Azojuano, pero que este últimamente lo había relegado a un quinto plano, por culpa de su mujer.

Había que hacer un *ebó* donde Oshún debía barrer cantando: *Ala ilero ala ilero labera umbo labera obede bogbo arayé unlo campani campani unlo arayé asegún otá.*

Cuando ellos barrieron la basura de su *ilé* se la llevaron a Orunmila, pero antes cogieron un poco de esta, le echaron varios ingredientes y la pusieron en la puerta mientras Azojuano cantaba: *Awara ebora kada Alaguana dide dideo ara gogoto dide dideo belele Eshu Alaguana dideo umbo ilé mi.*

Terminada la oración, Alaguana se incorporó de la basura, Azojuano y Oshún al verlo supieron quién era el que ensuciaba su casa y causaba tantos trastornos.

Entonces Azojuano le dijo: "No puedo negar que tú y yo tenemos que andar juntos por designio de Olofin, vivirás en mi casa que es la casa de *Odi Roso* y de Oshún, pero como tu visita es repugnante y ya te has acostumbrado al cementerio, vas a vivir en una fosa detrás de la puerta y defenderás mi casa de todas las hechicerías".

A partir de aquel momento Alaguana se quedó para siempre cuidando la puerta de la casa de Azojuano y Oshún, la cual se mantuvo inmune a todos los *arayé.*

Oshún y su relación con Inle

Otro gran amor de Oshún fue Inle, patrón de los peces y dueño del río (Inle es un río que se echa en brazos del río Oshún).

Dicen que Oshún sedujo a Inle, quien vivía locamente enamorado de la Venus lukumí. Era un amor platónico hasta el día en que ella se decidió conquistarlo y de qué manera.

—Si quieres ser mi marido, sígueme—, le dijo, y lo llevó a una eminencia que bordeaba su río.

—Mira—, y le enseñó el agua verde y limpia que corría por aquel lugar, mientras cantaba y bailaba los lindos cantos de Inle.

En un instante la Venus contempló a su pretendiente y se lanzó de cabeza al agua, gesto imitado por Inle quien deseaba unirse a ella aunque fuera en el fondo del río.

Era la primera mujer que conocía Inle. Pero Oshún no fue feliz con él aunque tuvieron un hijo. La maltrataba y todo le iba mal. Un día, muy afligida fue a quejarse a Orula y este le ordenó que hiciese *ebó* con cinco gallos, cinco gallinas y cinco calabazas. Y a partir de entonces su suerte cambió. Orula le aconsejó que en cada nueva casa que habitase sacrificara un gallo.

Oshún y el diluvio

Érase una vez cuando Orisha Oko, en combinación con Olodumare y Yembó, decidió dar una lección a sus hijos por una ingratitud cometida.

Fue así como del cielo comenzó a caer agua y más agua. Con el comienzo de las lluvias todo el mundo fue feliz, pero la alegría duró poco. Pasaban los *odunes* (los años) y la lluvia no cesaba.

Llegó un momento en que los océanos y los ríos comenzaron a desbordarse. Transcurrieron 116 días con sus noches y el agua inundaba cada espacio en la Tierra. La alarma creció, el pánico cundió entre los habitantes del reino. Fue entonces cuando todos se preguntaron la causa de aquel diluvio.

Los orishas, desesperados convocaron a una reunión urgente. Había que tomar una decisión y la tomaron: enviar un mensaje a Olodumare en el cielo. Para llevar el mensaje, lo más indicado era que fueran las aves.

El primero en volar fue el tomeguín, pero debido a su tamaño pronto fracasó en el intento. El aire no le permitía avanzar. El segundo fue el pitirre, quien por ser más grande podía volar más alto. El pitirre contento por su misión voló, voló y voló hasta que se cansó. Los orishas al verlo regresar decidieron mandar a Oyá, que era el viento, y seguro que llegaría.

Oyá, quien estaba en deuda con los orishas por engañar y traicionar a su hermana Oba, asumió la tarea con suma satisfacción para así lograr enmendar su falta. Al principio voló y voló, pero mientras más volaba más lejos estaba del cielo. Finalmente decidió regresar cansada de tanto andar.

Después de estos intentos infructuosos, los orishas se desesperaron aún más. ¿Pero cómo era posible? ¿Cómo llegar donde Olodumare y pedirle que cese con el castigo? La culpa no era de todos. Algo había que hacer.

El aura tiñosa, que presenciaba la discusión y había sido discriminada por su fealdad, se interpuso entre los presentes y con voz que rompía los oídos gritó:

—Yo llevaré el mensaje a Olodumare.

—Estás loca—. Exclamaron al unísono los orishas allí reunidos, mientras reían a carcajadas.

Nadie entre los asistentes se percató de la ausencia de Oshún, nadie se imaginó que la más pequeña de los orishas pudiese hablar por boca de un aura tiñosa y que en uno de sus caminos era la *Ibú Kolé*. Todos olvidaban que cuando esta orisha nació su padre la facultó para encarnarse en cualquier animal. Los reunidos se reían.

—¡Silencio!, se impuso el aura tiñosa, —¿díganme cuál es el mensaje que al cielo debo llevar? ¿Qué debo decirle a Olodumare?

Todos callaron ante tan imperativa voz.

—En vista de que no hablan, yo, que conozco de la conducta humana, iré a decirle al creador lo mal que se han portado.

La tiñosa emprendió su vuelo y voló y voló, a los tres días muy agotada por su andar se disponía a regresar al mundo de los orishas cuando a lo lejos divisó una luz que la alumbraba.

La Kolé siguió volando y mientras más se iba acercando a la luz, más rara era la sensación que experimentaba: Había entrado al palacio de Olodumare, a *orun*, la casa desde donde se manejaban los misterios de la muerte y de la vida.

Ibú Kolé le habló al padre mayor y le narró lo del diluvio. Olodumare sentado en su trono, con el rostro marcado por el tiempo y el cansancio, escuchaba atentamente.

—Nadie es conforme en su tierra—, como reflexionando, en un susurro exclamó.

—Sin embargo todos se niegan a abandonarla—, añadió Kolé.

—Eso yo bien lo sé, porque me lo dice el llanto—, comentó Olodumare.

—¿De qué llanto hablas padre?

—Del que producen ante el temor de perder la vida, mi *omodé*.

—Y tú ¿por qué intercedes?—, preguntó esta vez el viejo.

—Porque sé lo que es eso padre.

—Nadie sabe el valor de la vida, Oshún. Eso solo lo saben los elegidos.

Olodumare se internó en un mar de pensamientos. Oshún rompió el silencio:

—Padre, el diluvio está acabando con todo y están pagando justos por pecadores. Danos tu perdón.

—Por ti los salvaré, pero todos al final tendrán que venir a rendirme cuentas. Llévale a ellos mis consejos. A partir de ahora tú serás mi mensajera y los mayores tendrán que respetar a los menores.

Los orishas estaban reunidos esperando, desesperados. Un ave hizo su aparición en el horizonte, pero no era la Kolé. De pronto se escuchó una voz, era Oshún transmitiendo el mensaje. Mientras hablaba el agua cesaba. Y así fue como la Ibú Kolé se convirtió en la mensajera de los orishas y de la Tierra.

Oshún y la sabiduría

Decía mi abuelo que la sabiduría se aprende, no se encuentra. Yo siempre tenía mis dudas sobre eso. Me preguntaba si era congénita o adquirida, si se cultivaba o se heredaba. El caso es que un día me contaron cómo fue que Orúmbila se convirtió en el dueño de la sabiduría.

Una vez Olodumare desde el cielo lanzó a la Tierra un saco de sabiduría: "El que lo encuentre será el orisha más sabio del mundo".

Todos los orishas salieron en su busca. Shangó con su *oshé* (hacha) derribó una palma pensando hallarlo debajo de esta. Obatalá estuvo días y días pensando sin hallar la fórmula para encontrarlo. Oshosi, en el monte, buscaba y buscaba y nada encontraba. Después de mucho buscar, fue Oshún quien lo encontró.

Por aquella época Oshún estaba casada con Orúmbila pero no vivían juntos. Ella vivía en su casa y él en la suya.

Orúmbila, quien no se había interesado en hallar tan importante tesoro, lleno de paciencia y sencillez le dijo a Oshún:

—¿Qué traes en el saco?

—Si deseas saberlo adivina—, le dijo la mujer a su marido.

Un día vino un ratón y le comió un bolsillo de su vestido. Cuando Oshún, sin percatarse, se metió en el bolsillo el saco de la sabiduría, este cayó al suelo por el hueco que había hecho el ratón. Orúmbila que venía detrás de ella con mucho sigilo lo recogió. Oshún llegó a su casa y al buscar su saco en el bolsillo no lo encontró. Dicen que así fue como Orúmbila se hizo el dueño de la sabiduría.

El rapto del río

Todos los días Oshún se bañaba en el río. Su cuerpo, como configurado por las manos de un escultor, deslumbraba a las mismas aves y peces. A la salida del agua Oshún bañaba su piel tersa y fina con un cántaro de miel.

En una ocasión unos traficantes que andaban por el lugar descubrieron aquella majestuosidad de mujer y sin poderlo creer se pusieron a observar. Fue tanta la tentación que no se pudieron resistir, ¡hermosura como esa no la podemos perder!

Un *agongoro* (pájaro) que se encontraba muy cerca, sospechando la intención de aquellos buitres humanos, comenzó a cantar: *Eri Gongoro Soro Yu.*

Con este canto quería decirle a Oshún que huyera y que se perdiera, pero Oshún de nada se percató. Los forajidos la capturaron y se la llevaron. Cuando ya iban por el camino alejándose, apareció Shangó y la pudo liberar del rapto de los bandidos.

¿Por qué hay naranjas agrias y dulces?

Vivía la dueña del río en una tierra que, por sus aguas, era fértil y productiva. La divina Oshún conservaba un bello jardín rico en naranjas dulces que era la admiración de todo el pueblo. Un día al levantarse encontró las ramas de los árboles torcidas y desgarradas. Innumerables naranjas estaban regadas por todo el suelo, pisoteadas y trituradas.

No podía creer lo que veía, no concebía una envidia tan implacable. Triste y anegada en llanto fue a refugiarse al fondo de una cueva rodeada de dormideras.

La fertilidad de la tierra donde antes vivía pronto desapareció. El hambre y la miseria no demoraron en hacer acto de presencia y el pueblo comenzó a sufrir calamidades.

Los agricultores, desesperados, sin saber qué hacer, fueron corriendo donde Orunmila, y le

dijeron: "Padre, ayúdanos y perdona nuestras faltas. Solo quisimos saber por qué las naranjas de Oshún eran las más dulces de todas las naranjas".

Orula, después de escuchar detenidamente y, sin consultar indicó hacer *ebó* para calmar el desconsuelo de la reina. Había que llevarle una ofrenda.

Eleguá, que desde lo alto de una loma escuchaba silenciosamente, picado por la curiosidad quiso conocer cuán grande era el disgusto de la divina Oshún. Entusiasmado y veloz se acercó a la orilla de la cueva donde de repente fue preso de la dormidera. Por mucho que trataba de desprenderse de los brazos de las plantas no lo lograba.

En el pueblo, después de disponer de algunas frutas almacenadas, fueron de nuevo a ver a Orula para cumplir la misión. Pero Orula dijo que sin Eleguá no hay *ebó*.

Todo el mundo rogó y suplicó. Orunmila, persuadido por tanta insistencia decidió acompañarlos y llevar la ofrenda sabiendo que Eleguá estaría presente a pesar de su adversidad.

Oshún, pálida y triste salió del refugio donde se encontraba y con voz firme y decidida dijo: "A partir de ahora las naranjas todas no serán dulces, también las habrá agrias por el dolor y la pena que ustedes causaron en mí".

De cuando Oshún comió gallina por primera vez

Un patakín cuenta que una vez la gallina no sabía dónde poner sus huevos. Estaba intran-

quila y nerviosa. Andando, tratando de encontrar el lugar apropiado, se dirigió a la orilla de un río donde por fin anidó.

Sintiéndose feliz se disponía a contar sus huevos cuando de pronto experimentó una picazón que la invadía. Una especie de piojillo minaba su piel.

La *adie* salió desesperada y en el camino se encontró con Eleguá a quien saludó y contó sus penas. Eleguá le dijo: "Cuando veas la escoba amarga, te restriegas con ella y verás como se te quita esa picazón inmunda".

La gallina siguió su camino después de darle las gracias a Eleguá y pronto se encontró con una mata de escoba amarga con la que se estrujó plácidamente. La picazón desapareció. Pero sucedió que de pronto la suerte de la *adie* comenzó a cambiar y volvieron las contrariedades. Un dolor de cabeza hoy, uno de estómago mañana, de repente la lluvia o el sol la castigaban sin tener dónde cobijarse. Desconfiada por su retroceso, la gallina la emprendió contra Eleguá.

Por esos tiempos Oshún lo único que comía era *akukó* y *eyele* (gallo y paloma), razón por la cual no tenía mucho desenvolvimiento. Se sentía débil y muy mal de salud. Por tal motivo decidió ir a casa de Orunmila y consultarse. Al efectuarse el *osodé*, Orunmila le dijo que iba a encontrase con una persona encargada de resolverle sus problemas.

Un día Oshún iba por un camino y se encontró de casualidad con Eleguá, ambos se rindieron *moforibale* (saludo). Eleguá, que tenía presente la ingratitud de la gallina, se dijo : "Esta

se merece una *adie*", y dirigiéndose a Oshún, le dijo: "Yo te voy a entregar una cosa que tú nunca has comido".

Ambos siguieron caminando y no habían avanzado mucho cuando recostada en un árbol se divisó a la gallina. "Ahí está lo prometido", dijo Eleguá. Y Oshún se comió la *adie.*

A partir de aquel instante, gracias a Orunmila y Eleguá, Oshún mejoró su suerte y la *adie* pagó con su vida por desacreditar y maldecir a Eleguá.

De cuando Orunmila ayudó a escapar a Oshún

Una prima mía, que era muy enamorada y siempre vivía de amor para morir de desengaño, me contó un día que había una vez una mujer que tenía la piel como la miel y era dulce como la naranja. Sus amigas la admiraban más que por su belleza, por su nobleza. Era cándida y caritativa, a nadie le negaba su ayuda.

Dice mi prima que un día un hombre del pueblo, rico y acaudalado, se enamoró perdidamente de aquella mujer, y después de muchos años tratando de conquistarla sin poder conseguirlo, decidió hacerle una fuerte hechicería con la que logró encerrarla en su mansión. Siempre que él salía ponía un candado en la puerta y dentro dejaba un perro para que la cuidara.

Pero sucedió que en una ocasión, en que la bella mujer estaba asomada por la ventana, pasó un viejito que al verla con lágrimas en sus ojos le preguntó:

—¿Por qué lloras noble mujer?

A lo que ella respondió:

—Por culpa de una brujería.

—Pero, ¿cómo es posible, si todos dicen que estás enamorada?—, preguntó el viejito.

—¿Usted piensa que una mujer por brujería puede enamorarse?—, respondió la afligida Oshún.

—Todo es posible en la viña del señor, hijita mía.

Y Oshún, por temor a que el causante de su cautiverio sorprendiera a aquel viejito en diálogo con ella, le suplicó que se marchara. Pero él no lo hizo sin antes preguntarle si realmente deseaba liberarse de aquella maldad. Al recibir una respuesta afirmativa, le prometió volver por ella.

Al otro día, luego de hacer un *ebó* con tres flechas y tres clavos, el viejito que no era otro que Orunmila, regresó donde estaba la cautiva rompiendo la cadena y el candado. Oshún lloraba asustada y apenada por el riesgo que corría aquel anciano al hacer lo que otros hombres no hicieron.

El perro los observaba a los dos con mirada fija y atolondrada, pero no podía hacer nada. Ante Orunmila no podía ladrar.

Cuando el señor acaudalado llegó a su casa, se encontró las puertas abiertas y al perro sollozando. Al percatarse de lo sucedido salió obsesionado en busca de su mujer.

El viejito caminaba despacio y Oshún pensaba que su perseguidor los alcanzaría, pero Orunmila dijo: “Nosotros andamos despacio y nuestro perseguidor de prisa, nosotros llegaremos pri-

mero". Al doblar por una esquina, Orunmila tiró las tres flechas, y en ese momento pasaba por el lugar Odé el cazador.

Odé al ver aquello quiso probar las flechas y las disparó al aire. Debido a que el perro perseguidor iba delante una de las flechas lo alcanzó dándole una muerte inmediata. El hombre que venía detrás al ver a su perro muerto le dijo a Odé el cazador: "Has matado a mi perro y con él a lo mejor que tengo". Pero sucedió que al observar las flechas se dijo a sí mismo: "Si han sido tan poderosas quiere decir que son más fuertes que la Prenda con la que amarré a esa mujer". Y entonces cesó en su persecución.

Orula llevó a Oshún donde estaba Olofin y este le dijo: "Ahora tú serás Oshún Tilumú", la coronó y desde entonces fue reina.

De cuando Oshún salvó al pavo real

Cierta vez el pavo real fue blanco. Se encontraba viviendo en casa de Olofin de quien gozaba de toda la confianza, pero un día cometió un grave error y por temor a que lo castigaran huyó.

Iba por un camino cuando se encontró la casa de Olokun y allí penetró. Olokun al verlo le dijo:

—Amigo, ¿qué buscas por aquí?

—Busco la bondad de tu alojamiento—, respondió el pavo real.

—¿Mi alojamiento, pero tú casa no es la de Olofin?—, le dijo Olokun, quien una vez de visita en casa de Olofin lo había visto allí.

—Se equivocó usted señor mío, yo no soy ese animal.

Olokun, persuadido por su hija Mayelewo que estaba presente le dio albergue y por su sugerencia lo pintó con sus colores.

No transcurrió mucho tiempo cuando, abusando de la hospitalidad con la que había sido acogido, el *agbeyami* se dedicó a cotejear a la hija de Olokun. Y tanto insistió hasta que la convenció y con ella se acostó.

Por supuesto que cuando Olokun se enteró, entró en cólera y el pavo real tuvo que salir en precipitada fuga.

Deambulando de un lugar a otro, de pronto se encontró con la casa de Ogún. El dueño de los metales al verlo le preguntó:

—¿Oye, no eres tú quien vivía en casa de Olofin?

—Yo nunca he visto a ese señor y ni siquiera lo conozco—, respondió el *agbeyami* detenido frente a la puerta.

Al igual que hizo Olokun, Ogún también le dio cobija a aquel animal sin hogar.

Pero, como dice el refrán: "Quien nace para caliente, le cuesta trabajo enfriarse". Pronto el pavo real comenzó a enamorar a la mujer de quien lo había cobijado. Descubierto, tuvo que salir volando o perdía su cabeza.

A errar de nuevo se vio obligado el pavo real, iba triste y acongojado cuando de repente por el camino se le apareció la Ikú. "Vamos a hacer un pacto tú y yo —dijo la Ikú— yo te voy a enseñar los secretos de la vida y tú no los divulgarás".

El pavo real estuvo de acuerdo, pero conversador como era, no pudo resistir la tentación y pronto habló y divulgó lo que no debía divulgar.

Ikú al conocer la violación del pacto salió como una exhalación en busca del violador. *Agbeyami* al ver que se aproximaba pronto puso pie en polvorosa y no paró hasta llegar a la casa más cercana.

La diosa de la dulzura al ver entrar al pavo real con un plumaje tan hermoso, pensó que esa era su bendición y se cubrió toda en él. Al llegar la Ikú se le tiró encima a *agbeyami*, pero al ver salir a Oshún de entre su plumaje se detuvo.

Durante muchos años aquella había sido la mujer de su tormento, por ello, al escuchar las súplicas de Oshún al decirle que deseaba esas plumas como vestido, la Ikú perdonó al pavo real diciendo: "Todos aquellos que se vistan con el *ashé de agbeyami* y Oshún implore por ellos, obtendrán el perdón de Ikú mientras que Olofin no determine otra cosa".

Historia de la oreja

Esta historia la escuché por primera vez cuando iba camino hacia el río Oshún en Oshogbo, Nigeria. Me contaron que Shangó tenía varias esposas a las que visitaba sucesivamente para pasar los días y las noches. Pero en realidad a la que él más amaba era a Oshún. Ella como ninguna sabía complacerlo en todo. Esto, por supuesto, molestaba a las otras mujeres del rey del tambor. Un día una de ellas llamada Oba, llena de celos le preguntó con ingenuidad a Oshún en qué consistía el secreto para mantener tan amarrado al mancebo.

—A él le encanta la sopa de espárragos—, le respondió Oshún a Oba.

—¿La sopa de espárragos?

—Sí, y yo se las hago especiales. Se las hago con mis orejas. ¿No ves el pañuelo que llevo puesto? Es por causa de las orejas que me corté.

Oba al escuchar esto se fue para su casa y cándidamente se cortó una oreja. Llegado el día en que Shangó tenía que compartir con ella en su hogar se extrañó al ver a Oba con un pañuelo amarrado a su cabeza, pues no era su costumbre. Pero mayor fue su sorpresa cuando al beber la sopa preparada por su mujer vio flotando en el agua algo que llamó su atención.

—¿Y esto qué es?—, preguntó intrigado.

—La oreja de tu mujer—, dijo Oshún que en esos momentos hacía su entrada.

Shangó indignado desprendió el pañuelo de la cabeza de Oba y al ver las heridas de esta comenzó a echar fuego por la boca. Oba, al percatarse del engaño de que había sido objeto, se abalanzó como una fiera sobre Oshún. Pero Shangó seguía lanzando fuego por su boca y las mujeres salieron huyendo en desbandada convirtiéndose ambas en sendos ríos.

Producto de esta leyenda, dicen los habitantes de Oshogbo que al cruzar el río Oshún no se debe pronunciar el nombre de Oba, porque quien lo haga se ahoga. Lo mismo ocurriría si al pasar por el río Oba se pronuncia el nombre de Oshún.

Existe otra leyenda sobre este mito que narra lo siguiente: Un día Shangó abandona a Oyá y se casa con Oba. Oyá quedó tan furiosa y desesperada que el viento sopló como nunca antes en el reino. No podía resistir la idea de haber

perdido a su *okó* (marido). Transcurrido cierto tiempo y ya calmada su ira comenzó a trabajar en un siniestro plan.

Oba todas las mañanas iba al río a conversar con su muy querida hermana Oshún, a quien en una ocasión le contó la extraña conducta de Oyá. Resulta que después de haberle negado el habla, ahora la trataba con halagos, cariños y deferencias.

Oshún pronto la aconsejó: "Cuídate de ese trato que una mujer celosa es peligrosa". Pero Oba no se preocupó.

En una ocasión, temprano en la mañana, iba Oba por un camino cuando se encontró con Oyá. Esta no escatimó palabras para elogiar lo bello de su matrimonio y le recomendó que lo cuidara pues ya se comentaba de ciertos desvíos del Kabo. Oba replicó diciendo que mucho confiaba en su *okó*. Oyá dijo que era cierto, pero que Shangó tenía sus debilidades por las mujeres. Oba, inocente y noble, le preguntó qué debía hacer. Ahí fue cuando Oyá entre palabras y palabras le recomendó que se cortara una oreja y la cocinara con harina de quimbombó, pues esto la ayudaría a amarrarlo.

En una noche de *wemilere*, Oyá se acercó a Shangó y trató de seducirlo pero este la rechazó. Oyá haciéndose la sufrida le dijo de todo el sacrificio que ella había hecho por él, de cómo abandonó a su esposo sin reparar en nada ni en nadie, para que ahora él le pagara así, total, por una mujer calculadora, fría y, peor aún, con un defecto en su cara. Shangó no hizo caso y siguió bailando cuando escuchó que Oyá le gritaba que observara bien a su mujer y le pidiera la verdad.

Oba estaba tranquila tejiendo en su casa cuando de pronto como un rayo vio entrar a su marido, quien se abalanzó sobre ella y en rápido movimiento le quitó el pañuelo que cubría su cabeza. Shangó quedó aterrorizado al observar que a su mujer le faltaba una oreja. No pidió ni escuchó razón alguna, tal como entró, salió.

Afligida y angustiada, Oba se fue donde su padre y le pidió que le permitiera abandonar el mundo de los seres humanos, luego fue donde su hermana Oshún y después de contarle lo ocurrido le dijo que iría a vivir a *ilé Ikú* (el cementerio) y que a partir de ese momento, ella, Oshún, tendría la llave de su secreto.

De su matrimonio con Ogunda Fun

Ogunda Fun era un personaje que vivía en la tierra de Oshún. Un día se enamoró de esta orisha, que era la hija predilecta de Olofin, y logró casarse con ella. Por tal motivo, Olofin mandó a preparar una gran fiesta. El día de la boda, Ogunda Fun hizo su entrada en el palacio montado en un hermoso corcel y vestido todo de blanco.

Durante la ceremonia nupcial Olofin bendijo a su hija, la coronó como reina y dijo: "Quien intente apoderarse de tu corona será destruido. Siempre sembrarás alrededor de tu palacio *ewe dun dun* (siempre viva) y ese será tu *ashé*. Aunque lo pisen y lo destruyan, siempre renacerá y será tu *ashé*".

Luego dirigiéndose al esposo de su hija expresó: "Y tú, Ogunda Fun, mientras seas obediente y no te vuelvas ambicioso tendrás de todo. Deberás respeto y consideración a tu esposa que posee las virtudes de los secretos de su padre".

Después del matrimonio, Ogunda Fun empezó a gobernar perfectamente y como *awó* (babalawo) de Orunmila, tuvo un gran *ashé*. Era obediente y disciplinado, y durante los primeros años consagró, enseñó y dirigió a varios de sus ahijados.

Sucedió que al pasar los años y debido a la cantidad de ahijados que había logrado, Ogunda Fun se endiosó, no reconociendo más corona que la suya, pero lo peor fue que comenzó a despreciar a Oshún y a celarse de la riqueza que ella poseía.

Un día, en un arranque de celos y de envidia le botó la corona, la agredió y la maltrató. Ogunda Fun había olvidado lo que el supremo había pronosticado.

Como era de esperar Oshún fue a ver a su padre, quien al enterarse de la actitud de Ogunda Fun lo mandó a llamar y le dijo: "Yo te di la posición que tienes, te coroné rey y no supiste vivir como tal, te has endiosado y te has celado del *ashé* de mi hija y como la envidia nació en tu corazón, queriendo ser más grande de lo que eres y no respetando el consejo que te di, desde hoy en adelante comenzarás a perderlo todo. Perderás la vista y la memoria, y serás traicionado por tu ahijado predilecto. To Iban Eshu".

Oshún y Oyá

Se dice que había una vez un rey muy sanguinario y ambicioso que tenía una hija preciosa nombrada Ala, a quien quería casar con un príncipe muy poderoso. Lo que aquel rey ignoraba era que su hija ya había volado y tenía un amante de quien estaba embarazada. Al enterarse el

monarca de tan asombrosa noticia decidió matar a su hija.

El rey la llevó en una barca hasta la mitad del río —que era el río de Oshún— y la echó al agua. Pero ocurrió que el rey tenía un loro a quien llevaba a todas partes, en esta ocasión también lo acompañó, y el loro, sin chistar, presenció la escena.

Pronto unos pescadores que pasaban por allí encontraron una alforja, y asustados por lo que vieron dentro, la dejaron abandonada en la orilla. No tardó mucho rato en que por el mismo lugar del crimen pasara una embarcación cuando de repente escucharon a una criatura que lloraba. Asombrados ante lo que veían recogieron al niño y se lo llevaron al rey.

El soberano, al ver aquella niña tan bella aceptó el regalo con agrado, sin saber que era su nieta. El loro miraba y callaba.

Un día, con motivo de una celebración el rey presentó a la bella criatura como su hija. Cuando ya todos estaban reunidos, el loro estimó que era el momento y entonces fue cuando exclamó: "¡Oh, noble rey traigo un mensaje de Olofi! Permítame decirle que esta no es su hija, la niña que está a su lado es la hija de su hija". Todos quedaron boquiabiertos y el loro siguió hablando: "Confieso que lo vi todo, esta niña nació en la casa de Oshún y es hija de la hija que usted mismo ahogó en el río".

Consumada la declaración del loro, la niña, que resultó ser Oyá, le fue entregada a Oshún y ambas crecieron juntas.

De aquí se desprende que aunque peleen, Oshún y Oyá "ligan", tienen relaciones armoniosas y en algunos momentos son inseparables.

Sin Oshún no hay Oyá y sin Oyá no hay Oshún

En la ciudad de Oshogbo vivía Oshún, la que era reina de la amazonía y en el Nide vivía Oyá, dueña de los mercados de la ciudad.

Un día Oshún vio en sueños que su hermana se encontraba en apuros y se fue a consultar con Orunmila, este le habló de una traición que se gestaba contra Oyá y le mandó a hacer un *ebó* y que se vistiera ella con el *ashó* (tela) de nueve colores y su hermana con el *ashó aperí* (tela amarilla). Así lo hizo Oshún.

Los habitantes de Nide se maravillaron al ver a Oyá vestida con el *ashó* de Oshún y confundidos dijeron: "La verdad que Oshún y Oyá son poderosas, ¿cómo han podido venir sin ser vistas?".

Fue entonces cuando los cabecillas de la traición decidieron verse con Orunmila y este les dijo sentenciosamente: "Oshún y Oyá son Okan Nani, de un mismo corazón. No puede haber Oshún sin Oyá, ni Oyá sin Oshún. *Iború, Iboya, Ibosheshé*". Y mandó a hacer una fiesta para estas dos orishas.

Pero no siempre todo fue armonía entre estas dos orishas, cuenta una vieja tradición que:

> Hubo un tiempo en que Ochún, tan correntona, quería hacerse pasar por señorita (...) y la señorita tuvo un hijo. Se lo entregó a Yemayá para que se lo criara y siguió aparentando seriedad; pero aquel parto suyo se descubrió en el mercado y todos se rieron de sus melindres. Oyá molesta porque Ochún y Changó se gustan siempre, le echó en cara su falta. Las

dos santas se liaron la manta, se pusieron nuevas y no hubo trapo sucio que no sacaran a relucir.

—¡Anda, reputísima (...) que yo sé!

—¿Qué sabes tú, marimacho?

—¡Que el hijo que pariste a escondida es de Ogún!

En ocasiones las mordacidades y disensiones de los dioses lucumí y su léxico, recuerdan las de ciertos, típicos y no muy pacíficos solares.[4]

Oshún no puede hacer Shangó ni Shangó puede hacer Oshún

En la tierra Akoré se pasaba mucha miseria y necesidades, y no había nadie que ayudara a sus habitantes. No tenían credos ni religión.

Oshún viendo las vicisitudes de aquel pueblo decidió ayudarlos comenzando por iniciarlos en los caminos de *Osha* (santería) y hacer obras para su bien.

La situación se fue transformando de penuria en prosperidad. Los habitantes del lugar comenzaron a sentirse felices y seguros. Las cosechas florecieron con el trabajo diario.

Shangó, quien era enemigo de aquel pueblo y que había estado maquinando para su destrucción, al enterarse del progreso alcanzado decidió hacer la guerra abiertamente y atacarlos. Durante los combates preguntaba quién era hijo de Osha. A todos los iniciados, tan pronto como se los señalaban, los mataba.

[4] Lydia Cabrera: Ob. cit., p. 83.

Oshún enterada de aquel parricidio inmediatamente fue a ver a Olofin: "Padre, Shangó está acabando con el pueblo. A todos tus hijos los está eliminando".

Olofin, sin perder la paciencia, pues es padre del buen carácter, mandó a buscar ante su presencia a Shangó y a Oshún, y les dijo: "Tú, Oshún, por gracia y por obra mía has estado haciendo la caridad en ese pueblo y la seguirás haciendo por mandato mío. Y tú; Shangó, que te has empeñado en destruirlo te digo que esta guerra tiene que terminar por el bien de la humanidad. Tú, Oshún, en lo sucesivo no podrás hacer más Osha a ningún *omó* de Shangó y tú Shangó no podrás hacerle Osha a ningún *omó* de Oshún. *To Iban Eshu*".

Por maldecirse a punto estuvo de morir

Esto un día me lo contaron, le había ocurrido a una persona, pero después lo leí en un patakín.

Resulta que había una vez una hija de Oshún que vivía muy cerca de un río o de una cañada, vivía dependiendo más de la ayuda ajena que de sus propios recursos. Ella se dedicaba a lavar ropas. Con este trabajo recibía el poco *owó* que apenas le alcazaba para suplir sus necesidades.

Desesperada, pesimista y angustiada por la pobreza en que vivía, impotente sin saber qué hacer ante aquella situación, la mujer terminaba mal humorada, pidiendo para sí lo peor, maldiciéndose constantemente.

Esta persona tenía a sus padres que eran muy pobres y la ayuda que le prestaban no le alcazaba, pues ella tenía dos hijos. Un día de esos de

tantos lamentos, la hija de Oshún le pidió a la Ikú que se la llevara. El padre al escucharla se le acercó y la regañó:

—Buena ayuda recibe el que se ayuda a sí mismo. Así con esas lamentaciones lo que haces es atrasarte.

—Basta padre, el agua no se puede atar con una soga.

Un día llovía muy fuerte y la hija de Oshún que iba por un camino no encontraba donde guarecerse. Había concluido su faena a la orilla del río y avanzaba con un bulto de ropas puesto en la cabeza. La lluvia caía y caía, tronaba y relampagueaba y la hija de Oshún desesperada. De pronto se enredó en un matorral y de la furia que cogió, como nunca se maldijo: "¡Oshún, mi madre, mándame la muerte!". ¡Puafata! El cielo tronó y del cielo un rayo cayó, yendo a parar la mujer como un relámpago a la orilla de la cañada.

Sucedió que en ese momento pasaba un hombre a caballo que también buscaba un rincón donde guarecerse. El jinete, al ver aquella mujer que casi se ahogaba en el río, sc lanzó precipitadamente sobre las aguas rescatándola de la muerte.

Pasó el tiempo y el hombre siempre la visitaba. Fueron tantas las visitas que pronto se enamoraron. El salvador de aquella mujer atormentada, pronto la llevó donde tenía que llevarla, le hicieron unas cuantas cosas y el *osobo* se acabó. Se casaron, tuvieron hijos y así aquella mujer aprendió que nunca es bueno malde-

cirse y que es mucho mejor callar que tener que lamentar.

Oshún y las cartas

Esta historia yo bien que la conozco. Resulta que Oshún Ololodí, sabía, se lo dijeron, pero más que eso, lo experimentaba en sus cinco sentidos: que tenía que ejercer el espiritismo y la cartomancia.

Cierta vez en que decidió llevar una vida asceta, después de negarse tenazmente a reconstruir la vida de quien ella era la *apetebí* del alma, vida y corazón, se fue a ver a Orunmila para confirmar su vocación.

Cuando el dueño del tablero hizo su aparición en el *ekuele* marcó: Okana Sode: *Lo que se sabe no se pregunta.* Orula le dijo que ella ya sabía todo lo que él podía decirle puesto que era adivinadora y tenía el poder de las barajas y del espiritismo.

Oshún Ololodí era una persona a quien le gustaba investigar bien las cosas y tener seguridad en ellas, por eso había ido a ver a Orunmila y ahora, después de confirmado su mandato, estimó que estaba conforme e hizo lo que le mandaron; empezó a adivinar con el ensarte de las barajas.

Fue entonces cuando su vida alcanzó mayor prosperidad, sobre todo después de perdonar y volver de nuevo a ser la *apetebí* de quien la adoraba a ella sobre todas las cosas. Juntos emprendieron el destino marcado y llevaron una existencia colmada de paz y tranquilidad.

A partir de aquel entonces las hijas de Oshún adoran las barajas.

Oshún en tierra china

Dicen que en tiempos muy difíciles Oshún se vio obligada, por necesidad, a trasladarse a vivir de un pueblo a otro. En uno de esos pueblos iba muy hambrienta por un camino cuando de pronto divisó a una gallina con tres pollitos. Trató de coger a la gallina, pero esta se le escapó, trató de capturar a los tres pollitos, pero uno se le reventó en la mano y solo pudo quedarse con dos.

No se sabe porqué, pero Oshún recogió un poco de la tierra embarrada con la *eyerbale* (sangre) del pollito reventado y la guardó.

Con el hambre que llevaba y previendo que la caminata sería larga, Oshún comenzó a asar los pollitos y al encontrarse con Eleguá por el camino le ofreció compartirlos con él, rogándole que la acompañara. Eleguá que había observado cuando la gallina escapaba la capturó y luego de un buen asado decidió acompañar a su amiga.

Dicen que al llegar ambos a un sitio completamente cenagoso, lo atravesaron y continuaron hasta llegar a un desfiladero donde había numerosas y pequeñas casas y un molino muy bonito junto a las márgenes de un río. Debido a que Oshún estaba muy cansada, pronto se quedó dormida mientras Eleguá la cuidaba.

Antes del amanecer, Oshún y Eleguá continuaron su peregrinaje y de repente se encontraron en los terrenos de un palacio en forma de templo donde el rey y sus súbditos discutían acerca de una guerra que no terminaba nunca.

Al ser sorprendidos, Oshún fue conducida ante la presencia del monarca quien al verla le preguntó:

—¿Y tú, quién eres?

—Yo soy *Emi Ibú Aro*—, Oshún le respondió.

—¿Y de dónde vienes?

—Vengo de *Mini Larin Ibu Ati Okenla*, del otro lado de la montaña y del río.

—¿Sabes que aquí a todo al que encuentren espiando tiene que morir?, pero te voy a poner una condición, antes de morir tendrás que cocinar—, le dijo al rey.

Eleguá y Oshún viendo que estaban perdidos salieron en busca de alimentos para preparar la comida y solo hallaron cuatro calabazas blancas y una amarilla que era puntiaguda. Dicen que con las cinco calabazas Oshún preparó un salcocho al que le echó un poco de la tierra con *eyerbale* del pollito, mientras recitaba un sortilegio.

No transcurrió mucho tiempo después de la comida cuando a uno de los comensales le dio un fuerte dolor de estómago, a otro descomposición, a otro le dio un embolia. El rey, corriendo y gritando, comenzó a vomitar mientras le imploraba a Oshún que lo salvara.

Oshún le dijo: "Yo te salvo, pero con la condición de ser nombrada reina del palacio y de las casitas que he visto junto al río, y si no quieres que tus hijos mueran tienes que cumplir con Oyá y con Eleguá y evitar que tus mujeres no dejen de parir".

Decidida a informarle de lo ocurrido, Oshún fue a ver a Olofin pero por el camino se encontró

a un hombre muy vistoso y le preguntó: "¿Y usted quién es?". El hombre contestó: "Yo soy *Orunmila awó eleripin omó* Olofin".

Dicen que Oshún convenció al hijo de Olofin de que se quedara con ella para vencer a la gente de aquella tierra. Por este mito se dice que Orunmila vivió en tierra china, cuando por allí pasó mientras recorría el mundo y explica el porqué los chinos castigaban los abortos, siempre estaban en guerra, y dormían en tabla. Solo los reyes, Oshún y Orunmila durmieron en estera, quitándose los zapatos para caminar sobre ella, pues la estera es la cama y la mesa de todos los reyes.

Oshún Ololodí

La persona que me contó esta historia es un hombre que sufrió mucho por esta santa. Él la quería a ella más que a todas las *obiní* que había tenido en su vida. De que había incurrido en cierto grado de promiscuidad en eso de tener mujeres, no había duda, pero ella era su diosa y aquel hogar era su templo.

Un día reincidió en grave falta y ella no lo perdonó. Él se marchó, se marchó con sus libros y con sus palos y todo en su vida cambió.

Transcurría el tiempo y la hija de la Ololodí, implacable, impoluta y dura como el adoquín seguía sin perdonarlo. Él, marcado, enajenado, no sabía qué hacer. Sin ella ya no era el mismo a pesar de los pesares que también llevaba dentro.

Una tarde en que pasó por un jardín quedó deslumbrado por unas flores. Girasoles como aquellos eran los que a ella le encantaban para

su Oshún. Se las llevó y las dejó con el encargo de que se las entregaran, esperando con ansiedad una respuesta conciliatoria. "No lo vuelvas a hacer". Dijo ella, sentenciosa y fría como el granito.

El tiempo siguió pasando y él quiso ofrendar con un cake a la Ololodí. "Tengo que preguntarle a ella". Dijo ella por respuesta. Si preguntó no lo sé, solo sé que él también era hijo de Oshún y ella bien podía responder que no, porque aceptar el regalo de un hijo que su hija no quiere sería como un engaño.

Mientras tanto, él sigue confiado en la Virgen de la miel, la misma que la bautizó a ella con sus aguas.

La coronación de Oshún

De Oshún se han dicho muchas cosas, buenas y malas, como se dicen de todos nosotros los seres humanos y hasta de los animales y de toda la naturaleza. Sí, porque toda la naturaleza no es igual, hay naturaleza buena y naturaleza mala. Sí, porque todos tenemos de bueno y de malo. El sol alumbra pero también quema. A los que tienen más de bueno que de malo Olofin siempre los premia y por eso mi abuela ha querido premiar a Oshún contando sus cosas buenas, igualito que Olodumare la premió en su tiempo.

Resulta que un día Olodumare convocó a una reunión a todos los orishas. Cada uno fue llegando pero faltaba Eleguá y el Dios se impacientaba. Cuando ya estaba a punto de castigar al dueño de los caminos por su tardanza, se apa-

reció este, pero Olodumare, que era muy serio y formal, ordenó que le amarraran los órganos genitales mientras durara la reunión. Y así empezó la asamblea: "Señores ministros míos, los he convocado a todos con el único propósito de impartir justicia. Si alguien quiere incorporar algún punto para discutir que lo diga ahora". El silencio fue absoluto.

Y entonces Olodumare dirigiéndose a Oshún que estaba situada justo frente a él, expresó: "*Omodé* (hija mía), tú has sido de todas mis hijas e hijos la que más ha hecho por mi reino. Tú fuiste la primera en desear compartir el destino de los seres humanos condenados a la esclavitud; tú fuiste la que salvaste a la Tierra, a tu pueblo y a la humanidad toda cuando los peligros la acechaban; tú compartiste tu dinero con los pobres de la Tierra y calmaste la sed de los sedientos; tú salvaste a Oduduwa, a Shangó, a Oyá, a Babalú Ayé, ayudaste a Orula, te sacrificaste por tu madre y sacaste a Ogún del monte. Nadie como tú conoce el lado bueno y el lado malo de mis orishas y nadie como tú ha sido tan dulce, tan amorosa y tan noble. Por esas y por otras razones te has ganado el título de *iyalorde* (reina). Cuando este reino evolucione, que generaciones venideras tengan necesidad de mí y quieran ser sacerdotes, para ellos poder iniciarse en el rito de los yorubas, tendrán que ir primero a donde estás tú a rendirte pleitesía y halagos, pues desde hoy tú eres mi mensajera, tú serás la única que podrá ir directamente a donde estoy yo, como lo hicistes ya una vez; de ahora en adelante no encontrarás contratiempos ninguno para llegar donde yo vivo en *ilé ará onú* (casa del cielo). Serás la reina de las aguas

dulces, con las que alimentarás y calmarás la sed de esta tierra".

Todos los *arubó* (ancianos) quedaron sorprendidos y a la vez profundamente emocionados por lo que veían, nada más y nada menos que el padre de todos los orishas premiando a Oshún que bien merecido se lo tenía.

Yemayá fue la primera en acercarse a la *yalorde* y entregarle su corona y parte de sus riquezas mientras le decía: "*Omodei*, en el día de hoy te entrego mi corona".

Oshún se echó a los pies de su madre y le dijo: *Modupué Dupué Iyá Mi* (gracias, gracias, mi madre).

Olodumare feliz por lo que veía dio por concluida la reunión.

Cantos, rezos y poesías de la tradición oral a Oshún

I

Oshún, oyeyeni mo... La Oshún de completo entendimiento.
Owa yanrin wayanrin kowo si... Quien extrae la arena y en ella entierra el dinero.
Obinrin gbona, okunrin nsa... La mujer que se apodera del camino y hace a los hombres correr.
Oshún abura-olu... La del río que el rey no puede agotar. La que hace las cosas sin ser cuestionada.
Ogbadagbada loyan... La de grandes y robustos senos.
Oye ni mo, eni ide kii su... La que tiene frescas palmas, la que nunca se cansa de vestir bronce.
Gbadamufbadamu obinrin ko See gbamu... La inmensa, poderosa mujer que no puede ser atacada.
Ore yeyé o... La más bondadosa de las madres.
Onikii, amo-awo maro... La que conoce el secreto de los cultos pero no los revela.
Yeyé onikii, obalodo... La madre benévola, la reina del río.
Otutu nitee... La que tiene un frío y fresco trono.

Iya ti ko leegun, ti ko leje... La madre que no tiene huesos ni sangre.

II

Mbe, Mbe ma Yeyé... Existe, existe siempre madre.
Mbe, Mbe L'Oro... Existe, existe siempre en nuestra tradición.

III

Oshún awuraolu... El espíritu del río, tortuga tamborera.
Serge si elewe roju oniki... La senda abierta de la atracción, madre de los saludos.
Latojoku awede we'mo... Purificado espíritu que limpia dentro y fuera.
Eni ide ki su omi a san rere... El hacedor de bronces que no ensucia el agua.
Alose k'oju ewuji o san rere... Estamos autorizados a usar la corona que despierta a todos los placeres.
Alode k'oju emuji o san rere... Estamos autorizados a usar la corona que despierta a todos los placeres.
O male odale o san rere... El espíritu de la tierra que vaga libremente.

IV

Iba Oshún sekese... Gloria a la diosa de los misterios.
Latojoku awede we'mo... Espíritu que me limpia dentro y fuera.
Iba Oshún Olódi... Gloria a la diosa del río,
Latojoku awede we'mo... Espíritu que me limpia dentro y fuera.

Iba Oshún ibú kolé... Gloria a la diosa de la seducción,
Latojoku awede we'mo... Espíritu que me limpia dentro y fuera.
Yeyé'kari... Madre del espejo.
Yeyé'jo... Madre de la danza.
Yeyé'opo... Madre de la abundancia.
O san rere o... Nosotros cantamos tu gloria.

V

Oshún talade mimio, talade mello.
Yeyé talade Oshún.
Talade moro yeyé talade.
Yeyé yeyeo adidema.
Yeyé yeyeo aridego.
Odumare, kaguo.
Sí yeyé atalorifa.
Alliguyo odo omo aridego.
Odumare cosie.
Ala mira e e e ala mira guocheche.
Aladde kodyu ala deleko.
Ala misa e e ala misa guocheche.

VI

Alolde koyu yeyé moro ay ibú Bi ayé itolokun.
Obegü yo moro idede, Oshe eberiki baroye,
Orisha yesa iyami, Ogüilo mi agüilolaa,
Ayaba moro elefun.

VII

Illa mi ilé oro illa mi ilé oro vira ye yeyé oyo ya mala ye icu oche oche oye ogua ita locum ocha dego allo oro mama keña oro mama keña llama aquí icu Oshún iloco odde ila ika toloye illarde

apetebí oloro oloro tu oloro opa o ollena ande ha la molo rifa imbe imbe ma yeyé imbe imbe loro imbe imbe ma yeyé imbe imbe lorde imbe imbe ma yeyé imbe imbe imbe lorde imbe imbe ma yeyé imbe imbe lorde imbe imbe ma yeyé imbe imbe loroi via ye oyo mal ye icu oche oche ogua ita locum ocha deguallo a maorifa imbe imbe loro.

VIII

Omo Kariku Yeyé
euré euré euré
omo kariku yeyé
amalá amalá amalá
omo karikú yeyé
omodé omodé omodé
oro ban bi lo
yan ya iroko yan ya
soro ban biró
yan ya iroko yan ya.

IX

Apetebí mo-m-bale
apetebí yeyé
dale kojú
yeyé ¡oh...!

X

Bi Oshún ósu o
bi Oshún ósu o
Tanima awó (gua)
ibo rere oh
¡Tanima awó
ibo rere ¡oh (...)!
¡Eh (...)! Tanima awó

ibo rere (...)
Talubo pití yeyé ¡oh (...)!
Tanima awó
Ybo rere (...)
¡Tanima pití yeyé ¡oh!
talubo pití yeyé ¡oh!
umbo aqui yeyé ¡oh (...)!

XI

Yalorde oqui moro elebodo oqui
moro ibo ocú mo odo vale ilé mo ore llelleo
abale oqui odobale
olo ollu allari aguarireu
gualao fumi oñí ella mi labao
yalorde equi moro lebolo imoro
ibocu emo ellibare ilemo ore
yeye o abele quilecho alu
ayari aquarireo aguao bala
musereta gualao como la o mi
que perri labao.

XII

¡Oxun, graciosa madre, plena de sabiduría!
que adorna a sus hijos con bronce
que permanece mucho tiempo en el fondo de las aguas generando riquezas
que se recoge al río para cuidar a los niños
que cava y cava la arena y en ella entierra el dinero
mujer poderosa que no puede ser atacada.

XIII

Oshún Yeyé mi ogá ni gbogbo ibú, layé nibo gbogbo omo Orisha lo uwé, nitosi gba ni abukon, ni

omi didun nitosi alafia ati ayo obirin kuele re ache wiwo ati re ma ru achó géle nitosi yo ayaba ewa kuelu re reri ati ayo sugbon be oni cho nitoriti, komou nigbati wa ibinu ibinrin ilú ni Olofin, odukue.

XIV

Haz que el poder del espíritu manifestado por medio de mi mente, penetre en el cuerpo de este otro ser a quien deseo curar o en mi propio cuerpo, infundiéndole salud, vigor y vitalidad, para que sea aún más digno templo del Espítiu Santo; un más expedito canal de la vida única. Haz que este cuerpo se levante sobre las groseras vibraciones de la naturaleza inferior y alcance las sutiles vibraciones de la mente espiritual por el que te podemos conocer, dale a ese cuerpo por medio de la mente que lo anima la paz, fortaleza y vida, que le pertenecen por virtud del ser.

Haz que el lujo de energía se derrame sobre esta parte perturbada del cuerpo y que la reviva y normalice, esto te pido, oh espíritu omnipresente, porque hijo tuyo soy y por razón de tu promesa y del interior conocimiento que me diste. Amén.

Oración

Madre mía, dueña del río del mundo donde todo hijo de santo va a bañarse, para recibir la bendición del agua dulce, para tener felicidad y alegría, mujer con su saya y sus cinco pañuelos, para bailar, reina linda con su risa y alegría, pero hay que tener cuidado porque no conocemos cuando está brava, mujer muertera, mensajera de Olofin, oduku.

Para moyubar a Oshún

Oshún morillelleo obiní oroabebe
eroozún, uoni colaleque uonicolalelli illamí,
collúsoum, leyé cari guañari,
ogalecua e oduibú aña ayúba.

Salutacion a Oshún

Oshún duro ama dubule duro ganga labosi.
Ilé tutu iña tutu la ro Oyó
iyá miladisú alimade ordu
iyá mi opoletu orisha egué
banganire guañale guañale
ko oguó si banga anire
i ti ekó go oguó si alima de ordo
Oshún iyá mi oguó
iyá mi ibú
Oshún more yeyé ¡oooo!
Oshún mo ri yeyé o
aladé ko yu oni male
eni ti ti ekó ofidere ma oto efún
eni gua ni kado magueni cobori
ñagueni cobori.

(Poema de Ulli Beier)

Dorada es tu estela de luz
así como el oro que te pertenece,
que tu pureza cristalina,
orisha de las aguas dulces,
no permita que neblina alguna
enturbie mi deseo más profundo
que es conseguir amor verdadero,
seguro, eterno y duradero.

Estás presente en las cascadas
que de por sí ya son sagradas,
por lo tanto haz que se apague
todo sentimiento si yo sufriere.
No verteré lágrima alguna por aquella o aquel
que en amor no me correspondiere,
no penaré por ninguna o ninguno
que con mentiras me faltaren,
porque tú no permitirás que
frialdad, envidia, o celos me
traicionaren.
Eres dulce, protectora,
suave y coqueta,
femenina y seductora.
¡Ay madre Oxun!, dadme la alquimia
como el néctar más sublime
que sabré respetar y venerar.
Que está en la miel tu secreto
que sabré de utilizar.
En el ámbar del estío.

(Poema de Ulli Beier)

En una piel de terciopelo con conchas
de cowries bronce y pluma de cotorras
Sus ojos brillan en la selva
como el sol en el río.
Ella es la sabiduría de la selva
es la sabiduría del río
donde el médico fracasó
ella cura con agua fresca.
Ella cura al niño
y no cobra al padre.
Alimenta a la mujer estéril con miel
y su cuerpo se hincha
como un jugoso fruto de la palma

¡Oh! Cuán dulce es el roce
de la mano de un niño.

Ochún

(Lydia Cabrera)

Aparece junto al río:
rumor de pulseras de oro.
Un venado cruza el coro
en el ámbar del estío.
¡Espejos para el hastío!
De la miel, la brilladera.
Girasol en la sopera.
Mulata de rompe y raja.
El sándalo la agasaja.
—Lo dice Lydia Cabrera—.

Okan to mí

(Rogelio Martínez Furé)

Monte cubano. Ojo de agua transparente en medio del
maniguazo. Revoletean cotorras. Tintineo de cercanas
torrenteras. Un 21 se escabulle entre guijarros húmedos.
Frondas del helecho frescura orozú de la tierra.
Inmensa cola de pavo real cimarrón.
Luego una flauta marímbulas y su pulsar tembloroso.
La tersa superficie del agua dormida
que quiebra un rayo de luz.
Surge Oshún entre las ondas.
Como arco se tensa o quizás
cual asustadas ancas de venado.
Todo se torna risa, edanes, manillas

que entrechocan sutilmente. Languidez giro
rebullir de amarillas faldas.
Oshún danza, danza, danza (...)
Mujer toda, eterna madre,
esposa, hermana, amante.
Se nos entrega mimosa o escapa
envuelta en sí misma.
Luego se despliega y reluce como sus peces o canarios
Como sus peines de bronce y coral.
Retumba el monte, hierros retumban.
Retumban machetes y el mariwó de palma.
Ladran sus perros, todos los perros del mundo ladran.
El 21 salta, se enrosca en el tronco del árbol-casa.
Chisporrotea la fragua y vomita la tierra al Primer-Guerrero.
Ogún más hombre que todos los hombres.
Civilizó, conquistó, destruyó, refundó.
Piedra primero.
Luego 7, 14, 21 veces hierro.
Inicial impulso de vidamuere.
de muertevida.
¡Oke! Abridor-de-Caminos.
Rieles y cadenas, cuchillos y enormes clavos de línea,
dientes del central, aeroplanos devoradores de nubes,
tanques camiones (...)
¡hasta los cohetes y satélites son Ogún!
Juntos danzan.
Juntos se consumen y renacen.
La dulzura de las aguas domeña al bravío fragor.
Y son los dos una espiral eterna
que gira, gira, gira
en mitá del monte cubano.

Divina Ochún

(Zoe Manzanero Ramos)

Diosa que irrumpe en la vida
rodeada de miel y de sol.
Gaviota que vuela serena
al compás de una canción.

Ochún es tu nombre nativo,
girasol que se abre solo.
El río evoca tu risa
para vivir a su modo.

Cuando el guerrero Changó
besa tus manos de seda
vuelves a vivir quimeras
llenando el tiempo de flor.

Brota de tu cuerpo de Diva
perfume de son y aguardiente.
Novia, que acaricias el vientre
de la fertilidad sin prisa.
Mujer que siembra con brisas
el amor de sus creyentes.

Kele Kele

(Exilia Saldaña)

¿Qué es el río?, preguntó la nube, en el cielo, al pájaro de vuelo detenido.
¿Qué es el río?, repitió el pájaro al viento, pájaro sin nido.
¿Qué es el río?, dijo el viento al árbol tuyo y mío.
¿Qué es el río?, susurró el árbol a la tierra, compañera de amor, dadora de infinito.

¿Qué es el río?, voceó la tierra a la nube ajena y poseída como el misterio del hijo.
¿Qué es el río?, ¿Qué es el río?, ¿Qué es el río? Todos conocen sus aguas, todos de ella han bebido, pero solo yo puedo decirte qué, quién, es realmente el río.
El río es una mujer y en el monte se sumerge. La piel como la tierra, el cuerpo un eterno simiento, aliento de suave viento, risa de pájaro alegre y humedad de nube en la mirada donde no existe la muerte.
Aún no quiero decir su nombre. Antes escúchame y atiéndeme.

Glosario

Abañá: Se desconoce que significa.
Abebé: Abanico.
Abere: Aguja.
Adakeke: Machete pequeño, principal emblema de Ogún.
Adie: Gallina.
Adimú: Ofrenda sencilla, que no contempla animales, consiste en un tipo de comida.
Agayú: Nombre de un santo.
Agbari: Venado.
Agogó: Campanilla.
Agüení: Pavo Real, también se le conoce como *agbeyami*.
Akofa: Flecha.
Akofá: Manilla de Orula.
Akoide: Manilla.
Akukó: Gallo.
Akukó-jio-jio: Pollito.
Alosi, Olosi: Diablo.
Angongoro: Pájaro.
Añá: Dios que vive dentro del tambor Batá.
Aperí: Amarillo.

Apetebí: Esposa, también puede ser la secretaria de Orula.
Apolowo: Saquito con dinero.
Apopó: Diez varas de tela.
Arayé: Enemigo, problema, se utiliza también para referirse a una persona que tiene mala suerte.
Arubó: Anciano.
Ashé: ¡Así sea!, ¡Amén!, Suerte, desear suerte.
Ashibatá: Planta.
Ashó: Tela.
Ashupá: Menstruación.
Atitán Ilé: Tierra de la casa.
Atití: Cuerno.
Awadó: Mezcla de maíz con aguardiente y miel.
Awó: Babalawo.
Ayá: Campana de Obatalá.
Aye: Caracol.
Caminos: Advocaciones, manera de manifestarse una divinidad.
Cimitarra: Espada curva.
Dilogún: Oráculo de los caracoles en la Regla de Osha.
Ebó: Ofrenda o sacrificio.
Edanes o adanes: Pequeñas varetas imitando lanzas de metal.
Ekú: Jutía.
Ekuele: Cadena de adivinación.
Epó: Manteca de corojo.
Ewe: Hierba.
Ewe dun dun: Siembre viva.
Ewe Ikoko: Tipo de hierba.
Eyá: Pescado.
Eyele: Paloma.
Eyerbale: Sangre.
Goricha o sopera: Recipiente de porcelana donde se colocan las herramientas o atributos de los orishas.
Ibeyi: Gemelos, jimaguas, mellizos.
Ibú: Río.
Idou: El que nace después de mellizos.

Igbodú: Cuarto de santos.
Ikis, Ikinis: Semillas de palma que se utilizan en el proceso interpretativo de Ifá.
Ikoko: Árbol sagrado.
Ikú: Muerte.
Ilé: Casa.
Ilé ará onú: Casa del cielo.
Ilé Ikú: Cementerio, también se le conoce como *isoku*.
Ipalas: Restricciones.
Irofá: Tarro de venado.
Itá: Ceremonia donde se habla del pasado, presente y futuro.
Iya Mi: Madre mía, o madre de santo, sacerdotisa.
Iyalorde o Yalorde: Nombre de presentación de Oshún.
Iyawó: Iniciado en la religión de Osha o Santería.
Joro joro: Hueco.
Kabiosile, Kabo: Saludo tradicional que se hace a Shangó, también se utilizan estos nombres, en algunas ocasiones, para referirse a esta deidad.
Kirin Kirin: Viaje.
Laroye: Exclamación de adoración.
Lepe lepe: Habladuría.
Lerí: Cabeza.
Lerí Adié: Cabeza de gallina.
Mariwó: Vestuario de yarey.
Modyuba: Hablar con reverencia, rezo, saludo, alabanza.
Moforibale: Saludo.
Oba: Nombre de una de las esposas de Shangó. Este término significa, además, jefe tradicional.
Obi: Nuez del coco seco.
Obi motiwao: Coco.
Obiní: Mujer, esposa.
Obiní dara: Mujer bonita, coqueta.
Odun: "Letra o signo" de los sistemas de adivinación que se determinan según la posiciones en que caigan los instrumentos que se utilicen.
Odunes: Los años.

Ofá: Flecha.
Ofikale trupón: Acto sexual, relaciones sexuales.
Okó: Marido.
Okundia: Sirena.
Okuní: Marido.
Olofin u Olofi: Nombre de deidad suprema.
Omó: Hijo.
Omodé: Hija.
Omodei: Expresión que significa "El hijo ha llegado".
Omordé: Mujer.
Omorisha: Hijo de orisha.
Oñí: Miel.
Ordani: Pincho.
Oriki: Canto de alabanza o rezo.
Orula, Orunmila u Orúmbila: Divinidad de la interpretación en la religión yoruba, deidad de la sabiduría.
Orun: El mundo inmaterial, espiritual. Cielo, espacio o dimensión sobrenatural.
Osha: Santería.
Osobo: Que está con mala suerte.
Oshinshín: Comida que se le ofrece a Oshún.
Osodé: Registro, consulta religiosa.
Osun: Rojo, pintura roja.
Otá: Piedra.
Otí: Aguardiente.
Owini: Lechuza.
Owó: Dinero.
Patakín: Leyenda, historia.
Súyere: Canto o rezo en honor a un orisha.
Tablero: Instrumento de interpretación hecho de madera en forma redonda, también se le conoce como *até*.
Wemilere: Fiesta de evocación a los orishas, festival.
Yamao: Nombre de un palo.
Yefá: Polvo de ñame.
Yeyé: Camino de Oshún.

Bibliografía

BEIER, ULLI: *Yoruba Myths*, Cambrige University Pres, 1980.

BENEMELIS, JUAN F. (ed.): *La memoria y el olvido*, Syllabus afrocubano, Kingston, 2009.

BOLÍVAR AROSTEGUI, NATALIA Y VALENTINA PORRAS POTTS: *Oricha aye*, Ediciones Pontón, S. A., Guadalajara, España, 1996.

CABRERA, LYDIA: *Yemayá y Ochún*, Library of Congress, Nueva York, 1980.

CASTELLANOS, JORGE E ISABEL CASTELLANOS: *Cultura afrocubana. Las religiones y las lenguas*, t. 3, Ediciones Universal, Miami, Florida, 1992.

DEL RÍO, ZAIDA: *Herencia clásica*, Editorial Centro de desarrollo de las artes visuales, 1990.

FAGUAGUA IGLESIAS, MARÍA ILEANA: "La Iglesia Católica Romana y la santería cubana: relaciones de poder y autoridad", en revista *CATAURO*, no. 15, 2007.

FERAUDY ESPINO, HERIBERTO: *Yoruba, un acercamiento a nuestras raíces*, Editora Política, La Habana, 1993.

FIGAROLA, JOEL JAMES: *La brujería cubana. El palo monte*, Editorial Oriente, Santiago de Cuba, 2006.

GARCÍA CORTEZ, JULIO: *El santo (La Ocha)*, Editorial Arco Iris, 1ra. edición, República Dominicana, 1990.

GRUPO ATLANTIS: Multimedia Afrocubana Yoruba, 2002.

LACHATAÑERÉ, RÓMULO: *El sistema religioso de los afrocubanos*, Editorial de Ciencias Sociales, La Habana, 1992.

MARTÍN, JUAN LUIS: "Historia de la Virgen de la Caridad, Santa María de Cuba o la Virgen Mambisa", en revista *CATAURO*, no. 15, 2007.

ORTIZ, FERNANDO: *La Virgen de la Caridad del Cobre. Historia y etnografía*, Fundación Fernando Ortiz, La Habana, 2008.

——: *Etnia y sociedad*, Editorial de Ciencias Sociales, La Habana, 1993.

PORTUONDO ZÚÑIGA, OLGA: *La Virgen de la Caridad del Cobre: símbolo de cubanía*, Editorial Oriente, Santiago de Cuba, 2001.

Revista del Caribe, no. 25/96, Santiago de Cuba.

RODRÍGUEZ RIVERA, GUILLERMO: *Por el camino de la mar o nosotros, los cubanos*, Ediciones Boloña, Publicaciones de la Oficina del Historiador de la Ciudad, La Habana, 2006.

SALDAÑA, EXILIA: *Kele Kele*, Editorial Letras Cubanas, La Habana, 1987.

SPENGLER CALDERIN, VILMA: *Yo soy la montaña*, Proyecto gráfico: WML, 1998.

THOMPSON, ROBERT FARRIS: *Flash of the Espirit. African and Afroamerican Art and Philosophy*, Randomm Hoouse, Nueva York, 1993.

Tratado Enciclopédico de Ifá.